JN097497

畑中千晶
敬愛大学教授
これからの古典の伝え方
西鶴『男色大鑑』から考える
文学通信

II　現代の感性で古典を切り取る

第1章　創作のヒントとしての古典

はじめに

1　これからの古典の伝え方

古典を次の時代に読み継いでいくために、いま何ができるだろうか。危機に直面している古典文学の研究・教育に携わる研究者一人一人に突きつけられたこのような問いに、実践に基づきつつ答えていきたい――本書はそのような目論見のもとに書かれたものである。

また、古典文学の面白さを発見（再発見）するきっかけになれば、という思いから、読み仮名を増やし、わかりやすい表現を選ぶように努めている。

二〇一六年、『男色大鑑』[1]（原作は井原西鶴、貞享四年〈一六八七〉刊）がＢＬコミックスとして発売されたことをきっかけに、それまで西鶴作品にほとんど触れたことがなく、そもそも古典文学自体にそれほど関心が高いというわけでもなかった層に、このタイトルが知れ渡ることになった。ＢＬとは、男性同士の、性愛を含む恋愛模様を描く娯楽作品のジャンルの総称であり、主な表現形態に、漫画、小説（ライトノベル、翻訳物などで、その多くがイラスト付き）などがある。関連するグッズの種類も膨大で一大市場を築いている。近年は人気作の映画化も、アニメ・実写ともに隆盛である。筆者は、このコミカライズされた『男色大鑑』に原作の解説を寄せたことをきっかけに、ここからはじまる流れに当事者として関わることになった（解説全文を本書57ページに収録。『男色大鑑』について、まず押さえたい方はここからお読みください）。新たな『男色大鑑』の現代語訳を作ったり、演劇化にかかわったりするなかで、古典文芸を新たな読者に向けて開いていくための、すなわち「これからの古典の伝え方」のヒントがあるのではないか、そう考えるに至った。

アダプテーションという語がある。

これは、映画研究などの領域に関心を持つ一部の人々を除いて、まだ一般にはそれほどなじみのある単語ではない。ここではひとまず、媒体・時代・地域などを飛び越える際に、受容者や環境にアダプト（適応）させる必要性から生み出されたもの、あるいは、その生み出す過程そのものを指して、アダプテーションと呼ぶことにする。▼2 具体例としては、小説や漫画の映画化や演劇化（媒体を越える）、古典文学のコミカライズや新現代語訳（時代を越える）、あるいは、日本映画を換骨奪胎したタイ映画（地域を越える）▼3 などが挙げられる。実に多様な形態が存在しており、その範囲は膨大である。また、今日の文化状況（とりわけエンターテインメント）においては、テレビドラマ、映画、歌舞伎などのいずれにおいても、もはやアダプテーションなしでは制作が立ちゆかないほど、この方法に大きく依存していると言っていいだろう。考えてみれば、コミカライズされた時点で、『男色大鑑』の現代へのアダプテーションは始まっていたのである。それが、新たな現代語訳を求める受容者層を開拓することにつながり、さらに演劇化への流れが生み出されていった。

通常、現代語訳そのものは、アダプテーションの範疇（はんちゅう）（カテゴリー）には入らず、一種の翻訳（同一言語内での翻訳）と見なされるものである。だが、本書でのちに詳しく述べていくように、このたびの新現代語訳においては、その本の構成要素（訳文以外の部分）のなかに、実は、ある種のアダプテーションとしての試みも含まれているのである。それがなぜ必要となったのか、また、それを生み出す過程でどのような気づきがもたらされたのか、さらに、現代語訳そのものの過程において、新たに見いだされたものは何か、本書で詳述する。

2　アダプテーション

さて、アダプテーションについてもう少し続けよう。そこには、少なくとも次の二つの効能があると考える。①「アダプテーションは原作の注釈（ちゅうしゃく）の必要性を高める」、②「アダプテーションは次のアダプテーションを呼び込む」ということである。しかも、それらはそれぞれ双方向性をもつ。もう少し詳しく述べると次のようになる。

①アダプテーションは次のアダプテーションを呼び込む

これは、『男色大鑑』のコミカライズや現代語訳の登場が、演劇化の道を拓いたという事例から確かめることができる。アダプトする立場の者（コミカライズならば漫画家）が、作品をどう解釈し、どう表現したかということ自体が新たな刺激となって、次の創作活動を生み出していくということである。つまり、誰かが一度でもアダプテーションに取り組んだことのある作品というのは、別の誰かがまた、そのアダプテーション作品を、あるいは元の作品を、自分なりのやり方でほかの者に「伝える」ということをしやすくなる（あるいは、してみたくなる）ということである。▼4

②アダプテーションは注釈の必要性を高める

アダプトするにあたって、創作者は手始めに、元となる作品の情報を最大限集めようとする（あえて元の作品を無視して創作するといった、特殊な意図を持ったアダプテーションについては、今は議論の対象から外す）。それは、想像力・創造力を発揮するための《種》を求める作業といえる。ここで十分な《養分》を吸収すると、創作者のなかで化学反応が円滑に進み、古典のアダプテーションであれば、作品が生まれた当時の生活習慣、思想、社会の仕組みなどの知識を最大限吸収した上で、そのエッセンスを導き出し、再構築するということになるだろう。このため、アダプテーションの動きが活性化すればするほど、注釈の必要度も高まる。また、良質の注釈が揃うほどに、アダプテーションも刺激を受けて活性化されるであろうから、相互に深く関連し合いながら展開していくものと予想される。

3　二次創作

アダプテーションが多くの場合ビジネスの一環として存在するもの（すなわち収益を目指すもの）であるのに対して、アダプテーションによく似た性質を持ちながら、ビジネスから切り離され（収益を目指さない）、かつ、法律的にグレーゾーンに位置する活動に、二次創作がある。漫画はもとより、海外の古典的な小説（例えばドストエフスキー作品）などについても、二次創作を行うサークルが存在するなど、その裾野は果てしなく広い。[▼5]そして、その創作活動を支えるエネルギーは莫大である。なぜなら、元になった作品への強い愛着が、すべての出発点に存在しており、創作することと自体が、ある種の愛情表現となっているからである。また、SNS（ソーシャル・ネットワーキング・サービス）が発達し、作品公開のためのサイトが複数存在する今日においては、誰しもが気軽に創作を疑似体験し、その成果も容易に発信可能である。語弊を恐れずに言えば、現代の読者は、読むだけの存在ではなくなったということだ。読んだことで自分のなかに起こった変化を、日々、大なり小なり、さまざまな形で表現・発信していくことができる人々なのである。

こうした現代の文化状況に照らしつつ、古典文学をどのように読み、現代の読者に伝えていくべきかを問う時、おのずから重要なヒントが浮かんでくることになろう。今求められているのは、自分でも創作してみたいという欲望をかき立てるような古典文学への誘い（いざな）である。具体的には注釈の方法を、従来のものとは発想を変えて行う必要があるのではないかということだ。端的（たんてき）に言えば、創作意欲を刺激する注釈が求められているということである。従来よく見られたような、辞書的な知識を羅列（られつ）した形の注釈（つまり、本文でその語が出てくることのメタレベルの意味を問わずに語釈に終始したタイプ）は、ネットの普及のおかげで（入手した情報の質は玉石混淆（ぎょくせきこんこう）であるにせよ）かつてほど必要とされなくなってきている。これに対して、なぜ、その語彙（ごい）・表現がそこで使われたのかを、メタレベルで解釈するのに有効な情報を提供するタイプの注釈というのは、人工知能（ＡＩ）がいくら発達してもプログラミングは困難であろうから、相対的に、その重要度を増しているものと考える。

4　創作者の視点

人を惹きつけるストーリーというのは、創作技法や人物造型の点で、時代を超えて普遍（ふへん）性とも言える共通点を持つことがある。そうした共通点を手がかりに、現代の作品と対比させる形で、古典文学への興味を喚起（かんき）するという方法も、「古典の伝え方」として有効であると考える。この場合、比較文学研究における対比研究の方法論が、重要なフレームワークとなる（本書II第2章第2節で詳述）。さらに、それを一般の人々に伝える方法として、創作的な手法を採ることにも、一定の効果を見込むことができよう。本書には、その実践例を収める（本書II第2章第1節）。

また、近世文学のなかには、同一の粉本（ふんぽん）（元ネタ）を用いて創作したにもかかわらず、仕上がりに著（いちじる）しい差の生じている事例を見いだすことができる（本書II第1章第3節「江戸の〈コピペ〉」）。これは、創作者の技量や、その思想のありようによって、作品の質が左右されることを意味している。つまり、材料は同じでも、調理がうまくなければ、おいしい一品には仕上がらないということだ。このような事例から、創作に当たってどのような技（わざ）が必要か、また、作品を覆（おお）う思想は、どのように表れるのか、などを、具体的に学び取ることができる。つまり古典文学は、創作活動のヒントを知る場としても有効ということである。二次創作の項で述べたように、創作しながら享受（きょうじゅ）する読者が増加した現代においては、こうした創作者の視点から捉（とら）え直して古典を伝えるということが、有効なのではないだろうか。

5　本書の構成

I「古典を現代に伝えるには――『男色大鑑』の場合――」では、『男色大鑑』を具体例として扱う。

『男色大鑑』という作品が、エンターテインメント向きの特徴を元から備えていたわけでは決してない。それを売り出すには、仕掛け人による手の込んだ工夫があった。古典教育という観点から見て、「『男色大鑑』の事例は特殊」で、他の作品の参考にはならないと考える向きもあろう。だが、実は、その「特殊」な事例に付随（ふずい）して展開した流れそのものの中に、ある種の普遍性を見出していくことができる。そこにこそ、古典文芸を新たな読者に向けて開いていくための、すなわち「これからの古典の伝え方」のヒントがある、というのが本書の立場である。

第1章でコミカライズから始まる一連のアダプテーションがどのような展開を遂（と）げているか、それが、作品研究にどのような実りをもたらしつつあるのか、さらに、そこから見えてくる古典の伝え方のポイントとはどのようなものか、について詳述する。次に第2章で、作品を読み解くための具体的な方法を実践していく。

Ⅱ「現代の感性で古典を切り取る」は、『男色大鑑』以外の近世文学作品を題材にして、現代の文化状況に引きつけつつ創作のヒントを探ることを試みた第1章と、比較文学研究の手法を応用した古典文学への誘（いざな）いの実践例、および、その解説を収めた第2章からなる。

1 KADOKAWAコミックビーズログ編集部より『男色大鑑　武士編』（二〇一六年五月）、『男色大鑑　歌舞伎若衆編』（同年六月）、『男色大鑑　無惨編』（同年九月）が相次いで刊行された。書影は本書25ページ参照。

2 「生み出されたもの」と「生み出す過程そのもの」という二重性は、ハッチオン（二〇一六）の「アダプテーションはプロセスでありプロダクトである」（一一ページ）という二重の定義に倣ったものである。

3 アダプテーションには地域を越えることも含まれるという重要な観点に気づかせてくれたのは、タイ国チュラーロンコーン大学准教授ナムティップ・メータセート氏の「タイにおける「羅生門」の受容とアダプテーション」である（パネル「アダプテーションが際立たせたもの」、パネルメンバーは、発表者がメータセート氏と筆者、ディスカッサントが坂東（丸尾）実子氏、第四回三島由紀夫とアダプテーション研究会、二〇一九年一二月七日、広島大学）。具体例として取り上げられたのは、クリット・プラモート翻案脚本『羅生門』の映画化であるパンテワノップ・テークワン監督『ウモーン・パー・ムアン―羅生門』（二〇一一年公開、英題The Outrage）である（なお、この映画の名称は、ネット記事などでは『ウモーン・バー・ムアン―羅生門』となっている例がある。メータセート氏に確認したところ、タイ語の発音「pha」（無声有気破裂音）は英語の「p」に近く、日本語の「pa」（無声無気）より語気を強く出す感じという。有声の「ba」とは全く異なるということで、本書では「パー」と記す）。

4 この具体例は無数に存在するだろうが、本書刊行時、多くの人がすぐにその内容を想起できる物語としては、やはり吾峠呼世晴氏の『鬼滅の刃』が好個の例であろう。コミックス（初出『週刊少年ジャンプ』集英社）を原作としたテレビアニメの登場によって（厳密に言えば、その前の特別版劇場公開の話題性により）ファン層が一気に拡大、さらに、二〇二〇年公開の劇場版『鬼滅の刃　無限列車編』（キャラクターデザイン・総作画監督　松島晃）の大ヒットによって、年齢層を問わず、キャラクターのビジュアルや諸特徴が知れ渡ることになった。また、その一方で、この物語に登場するキャラクターに独自の妄想を注ぎ込んで行われる二次創作（イラスト、漫画、小説等）も、地下活動においてではあるが、盛んである。好みの組み合わせごとに細分化されたファンの集まりが形成され、活発な創作活動が繰り広げられている。アダプテーションが次のアダプテーションを呼び込み、それがさらに人々の創作意欲を強くかき立てるという循環を、この物語の受容状況が端的に示している。

5 筆者が出会ったのは「カラマーゾフの犬」（主催　升目氏@merongree）というサークル。BL俳句誌『庫内灯』（本書131ページ参照）と執筆陣が一部重なっていたことで出会った。

凡例

一　引用文献の表示方法について。
　①作品については、巻末「文献一覧」の「本文・注釈」欄に作品名を成立順に掲げたうえで、出典情報を記す。
　②研究書等については、括弧書きで筆者名、刊行年、参照ページのみを本文中に表示し、巻末「文献一覧」の「研究書等」欄に筆者名順で出典情報を掲げる。
　　【例】（西條、二〇〇九、六四〜六六ページ）
一　字体について。読者の読みやすさを考え、特別に必要な場合を除いて、書名や引用文中の旧字は新字に改めた。おどり字「ゝ」などは使用せず、同じ文字を繰り返し用いている。また、古文の引用に当たっては、漢字や送り仮名も適宜改めたほか、読み仮名をルビで補っている。
一　読み仮名について。原則として書名・作品名・章題については現代仮名遣いを、古文の引用においては歴史的仮名遣いを用いる。
一　人名について。直接対面する状況に伴う記述では「氏」を付し、文献を通じての言及に際しては、原則として敬称なしとする。
一　西鶴作品の引用は『新編　西鶴全集』（勉誠出版）によるが、読みやすさへの配慮から、前述した方針に従って適宜表記を改めている。
一　西鶴作品の挿絵は、染谷智幸／加藤裕一監修「西鶴浮世草子全挿絵画像ＣＤ」（『西鶴と浮世草子研究』第一号付録、笠間書院、二〇〇六年）による。
一　『男色大鑑』の章題の表記について。章題と目録題（目録としてリストアップされた題）が異なる場合、章題で統一する。また、コミックスや全訳など、それぞれ異なる表記が取られている場合も、注記がない限り、本書の方針で表記する。
一　『男色大鑑』の現代語訳は、『全訳　男色大鑑』を引用することを基本としつつ、必要に応じて筆者が新たに訳し直している。
一　本書の引用文中に現在では不適切と認識されている表現が含まれている場合、当時の時代状況に鑑み、原文を尊重してそのまま掲載している。

I 古典を現代に伝えるには——『男色大鑑』の場合——

『男色大鑑』という作品が、エンターテインメント向きの特徴を元から備えていたわけでは決してない。それを売り出すには、仕掛け人による手の込んだ工夫があった。古典教育という観点から見て、『男色大鑑』の事例は特殊で、他の作品の参考にはならないと考える向きもあろう。だが、実は、その「特殊」な事例に付随して展開した流れそのものの中に、ある種の普遍性を見出していくことができる。そこにこそ、古典文芸を新たな読者に向けて開いていくための、すなわち「これからの古典の伝え方」のヒントがある、というのが本書の立場である。

I

第1章でコミカライズから始まる一連のアダプテーションがどのような展開を遂げているか、それが、作品研究にどのような実りをもたらしつつあるのか、さらに、そこから見えてくる古典の伝え方のポイントとはどのようなものか、について詳述する。続く第2章で、作品を読み解くための具体的な方法を実践していく。

第1章　BLコミカライズ・現代語訳・演劇化

古典の再発見

第1節　それはBLから始まった

1　発端

BLコミックスに研究者の解説が載る

二〇一五年の暮れも押し詰まった頃、一本のメールが届いた。J-GLOBAL（科学技術総合リンクセンターの略称、研究者の業績を掲載するデータベースResearchmapと連動）を介して、KADOKAWAコミックビーズログ編集部から原稿依頼が届いたのである。そこには、井原西鶴の『男色大鑑』（貞享四年〈一六八七〉刊）を複数のBL作家によるアンソロジーとしてコミカライズする企画が進行中であること、ついては、その原作についての解説を寄稿してほしいということなどが記されていた。この時のことについては、のちに「コミカライズ版『男色大鑑』の解説を書いて」というエッセイにまとめている（畑中、二〇一六）。そこには次のような言葉を記した。

最初にこの執筆依頼を頂いた際に、全くたじろがなかったかと言えば、多少の逡巡はあったということをやはり白状しなくてはならない。『男色大鑑』はBLなのか、という本質論はひとまず措くとしても、そもそもコミック自体に疎い人間が、その解説など書けるのだろうかという不安があったことは確かである。しかし、新たな読者のもとに西鶴の作品を届けたいという想いのほうがはるかに勝り、喜んでお引き受けすることとなった（七七ページ）。

返信メールを打ちながら、これは、この原稿の執筆だけでは済まない話になるのではという漠然とした予感があった。何か大きな流れに巻き込まれていくような感覚である。ともかくその流れに身を投じてみることにした。その行き着いた先に本書もある。

なぜ今『男色大鑑』なのか

原稿を執筆するにあたって、手始めに、編集責任者の斉藤由香里氏にお目にかかり、長時間にわたって、さまざまなことをお聞かせいただいた。当時、BLというジャンルについて漠然としたイメージしかなく、読むにもどこから手をつけてよいかわからない。また、漫画自体にも疎いとあって、解説を書くにしても、どのような読者をイメージして書けばよいのか、見当がつかない。そのような状態であったので、斉藤氏から「攻め」「受け」などBLの基本用語から始めて、その受容の変遷、主な読者像など、要点を押さえたレクチャーを受けることができたのは大変有

❶ BL コミカライズ版『男色大鑑』。右から武士編、歌舞伎若衆編、無惨編。BL コミックスの一般的な判型（B6）よりやや大きい A5 判。

り難かった。そして最も聞きたかったのは、なぜ『男色大鑑』に白羽の矢が立ったのかということである。斉藤氏が語ってくれたことによると、BLの受容者の好みが多様化したことが最も大きかったという。かつて、読者の好みは極めて保守的で、完璧に理想を体現したハイスペックな男性（容姿端麗、頭脳明晰、高収入）が、不運な境遇にある男性を救い出し、末永く結ばれるというハッピーエンドばかりがもてはやされたそうである。だが、その後、好みの細分化が進み、登場人物が次々と落命して終わりという悲劇的な展開も、それはそれとして受け入れる読者層が現れてきたという。ちなみに斉藤氏自身は、大学時代に西鶴を研究し、『男色大鑑』の内容も熟知していた。ただ、かつて主流だったBLの世界観とあまりに異なるため、まったく馴染むとは思われず、長らく棚にしまったままであったという。それが、読者の好みの多様化に伴い、今ならば『男色大鑑』もBLとして受け入れられるのではないかとの直感を得たというのである（『男色大鑑』には、死をもって愛情表現とする話が多い）。つまり、ＢＬ受容史の変遷のなかで、『男色大鑑』の特性に合致する潮流が生まれつつあり、その潮目をプロの編集者が巧みに見抜いたのである。

一期一会の読者

次に、斉藤氏にお尋ねしたのは、どのような読者像を思い描けばよいのかということだった。斉藤氏のお答えは明瞭で、次の二点に集約される。①西鶴当時の社会、風習、人々のものの考え方などについて、正確な知識を求めている読者。しかし、②西鶴の文章そのものを原文で読むのはいささか敷居が高いと感じている読者。これらを踏まえ、解説では、学問的な裏付けを保ちつつも、平易な文章で綴ることになった。なかなか難しい注文であるように思われるところだが、考えてみれば、大学の授業も似たようなものである。理論的な裏付けを持ちながらも、それをかみ砕いて学生に伝えるというのが、大学教員の仕事だ。よって解説では、古典文学以外を専攻している大学一、二年生が、抵抗なく読みこなせるものを目指す、という基本方針が定まった。

実は、解説執筆において密かに心に決めたことがある。それは「一期一会の読者を絶対につかまえてみせる」ということだった。読者の多くは、これまでの人生で、西鶴をじっくりと読んだことはないだろう。そしてこの先の人生においても、もしかすると二度とその機会はめぐってこないかもしれない。そうだとすればこれは、西鶴に興味を持ってもらう最初で最後の機会になるかもしれない。そう思ったのである。そうであるなら、ただ一度の機会を確実に捉え、「西鶴ってなかなかいいじゃないか」「もう少し読んでみたい」と思わせたい。そのために最大限、力を尽くすと心に決めた。事典を開けば事足りるような、ごく一般的な解説は、必要最小限でいい。それよりも、「私にとってはココが面白い」「ココが読む時のツボ」ということが伝わるものにしようと決めた。そして、論文で展開した議論のエッセンスを惜しみなく投ずることにした。特殊な専門用語は極力使わず、どうしても使う時には解説付きで使うという具合に、表現にも当然配慮した。

ここで、いささか裏話を披露すると、当初の依頼では『武士編』『歌舞伎若衆編』の二冊の解説を、ということであったので、この二冊の解説に、最大限の情報を盛り込むことにしたのである。ところが後日、追加で『無惨編』の解説も書くことになり、重要なネタをほぼ放出した直後であったため、さらに何を書くべきか、しばし茫然自失した。そして、やや角度を変え、原作そのものの解説だけでなく、それが海外でどのように受容されているのかという補足的な情報や、男同士の恋を描いた現代のエンターテインメントとの共通性などを、あくまでも私個人の好み（BL享受になくてはならない〈萌え〉）を投ずる形で執筆することにした（本書I第1章第2節『男色大鑑』の世界」に再録）。

さて、これら三冊の解説を、読者はどのように受け止めただろうか。ツイッターなどで本書の感想を集めてみたところ、「男色大鑑、買ってみたけど結局敬愛大学教授の畑中先生による解説が一番面白かったというまさかのオチ」（HH子氏、二〇一六年五月三〇日午後六時四三分ツイート）、「男色大鑑のコミカライズは、各巻の各作品ももちろん素晴らしいんですが、あとがきがおすすめ！毎巻すごくみっちり解説してあって、勉強になるし、原作やその時代の風俗に興味がわくし、なにより、頁を戻ってまた作品を読み返したくなる」（@saphir_ 氏、二〇一六年九月二五日午後九時三三分ツイート）等々、意外にも解説に言及してくれているものが複数見つかった。思いのほか、興味を持って読んでもらえているようだという感触を得たのである。「一番面白かった」と言ってもらえたことも、「頁を戻ってまた作品を読み返したくなる」と言ってもらえたことも、どちらも大きな励ましとなる言葉だった。

余談だが、研究者の書く論文は、多くの場合、読者は同業に限られている（しかも、近接領域のごくごく一部の研究者）。レスポンスも極めて限定的だ。真の意味で関心を寄せる読者がどのくらいいるのか、ほとんど知ることもなく、淡々と世に問うていくことになる。論文とは元来そのようなものであるから、別にそれでかまわないと言えばかまわないのであるが、やはり書き手としては、反応が皆無であるよりも、ごく短時間のうちにリアクションを得たほうが、格段にうれしいものである（当然ながら）。しかも（これが重要な点だが）直接の面識がない相手から、一切の忖度抜きの感想を寄せてもらえたということが、ずいぶんと貴重な経験になった。身近なところに不特定多数の読者がいるという感覚を得た、初めての経験であった。

2　目から鱗が落ちた西鶴研究者

エンターテインメントとアカデミズムが手を組む

ＢＬコミックスに研究者の解説が掲載されたということ、それ自体が、エンターテインメントとアカデミズムが手を組むという流れの端緒（たんしょ）になった。しかも、エンターテインメントの側からアカデミズムにコンタクトを取って、それが実現したというところが意義深い。

その一方で、アカデミズムの側も、腕を拱（こまぬ）いているわけではなかった。古典のＢＬコミカライズという新しい動きを、もう少し大きな流れのなかに位置づけながら、ミクロとマクロの両面で考察してみようということで始動したのが、染谷智幸氏との共編著『男色を描く』（二〇一七年刊）（❷）の企画である。その手始めに、編集者、漫画家、研究者が膝を交（まじ）えた形で座談会を行った（座談会「男色のコミカライズをめぐって」、二〇一六年九月二六日実施）[▼1]。コミカライズ版『男色大鑑』を企画した編集者の斉藤由香里氏と、収録作品を担当した一人である漫画家の大竹直子氏のお二人を招いたのである。座談会当日は、女性が男性の身体に関心を持つことそれ自体の意味を問うなど、興味深い話題がめじろ押しで、編集段階でそれらをいかに圧縮するか、大いなる苦労があったわけだ

❷『男色を描く』

が（もっとも、その労を引き受けたのはもっぱら染谷氏）、その詳細は同書を繙（ひもと）いていただくことにし、ここでは、本書の関心事に照らして、特に注目すべき点だけに絞って言及したい。それは、複数の作家のアンソロジーという形で、コミカライズ版『男色大鑑』を編むに当たり、担当話と作家のマッチングをどのように行ったのかという点である。実はここに、編集者の腕の見せ所と、この企画の成功の秘訣（ひけつ）、つまり、『男色大鑑』がいかにしてBLとして生まれ変わったかの秘訣があった。

一言キャッチのインパクト

複数の漫画家が一話ずつ担当して編まれるアンソロジーにおいては、いずれの話を誰が書くのか、それをどのように割り当てたのかが気になるところである。座談会では、これについて詳しくご披露（ひろう）いただいた。

まず、編集者の斉藤氏が、全四〇話のあらすじを作成。それぞれに「一言キャッチ」を付して、漫画家諸氏に資料として提供（ちなみに「武士編」でA４用紙七枚、「歌舞伎若衆編」では八枚におよぶ力作）。漫画家は、それに基づいて第三希望までを申し出ることにし、先着順で決定していくという手順であったという。なお、この「一言キャッチ」とは、例えば、次のようなものである。

・「寺子屋の同級生の恋」（巻一の二「此道（このみち）にいろはにほへと」）

・「超美少年が、年上の侍にベタ惚れ。そこへ当て馬が！」（巻一の四「玉章は鱸に通はす」）
・「きつい性格だけど美しい小姓、殿様に隠れて間男と逢う」（巻二の二「傘持てもぬるる身」）
・「ちょっとしたお仕置きの放置プレイが死を招く」（巻三の二「嬲ころする袖の雪」）
・「年老いてもなお変わらぬ恋心…仲良しの老人二人」（巻四の四「詠めつづけし老木の花の比」）
・「顔も見たことがない法師に恋をした歌舞伎若衆の話」（巻七の一「蛍も夜は勤免の尻」）
・「簡単に指を切る男、上村辰弥」（巻八の四「小山の関守」）

これを読んだだけでも、そのストーリーをさらに追いかけてみたくなるような、実に巧みなキャッチコピーであることがわかる。しかも、BL漫画家の心をつかむ見事な切り取り方（着眼点と表現）であった。BL漫画家の心をつかむということは、とりもなおさず、BL読者の心をつかむということでもある。実は、『男色大鑑』それ自体は、決してBLではない。元来の読者の想定も異なる。だが、そうであっても、「BLとして読む」ことは可能なのである。これは、大事なことなので、もう一度、強調しておく。『男色大鑑』はBLではないが、「BLとして読む」こと

1　座談会は、折しもBL『男色大鑑　無惨編』の刊行された同年九月の開催となった（染谷／畑中、二〇一七、二二〜五五ページ）。なお、『男色大鑑』をめぐるエンターテインメントとアカデミズムの協働の動向については、染谷（二〇一九）、および、『全訳　男色大鑑〈武士編〉』あとがきに年表形式で整理がなされている。また、若衆文化研究会の内部資料として「若衆文化研究会の近年の動向（染谷）」（二〇一九年一二月二七日共有）があり、本節執筆において、その時系列整理が大きな助けとなっている。

は可能なのだ。そして、この「BLとして読む」ための最初の仕掛けとなったのが、この「一言キャッチ」なのである。

後日、『全訳　男色大鑑〈武士編〉』（二〇一八年刊）『全訳　男色大鑑〈歌舞伎若衆編〉』（二〇一九年刊）を編集するにあたって、各話に必ずキャッチコピーを付ける体裁をとることになったのは、この「一言キャッチ」の魅力に我々編者（染谷氏と畑中）が目覚めたためである。もちろん、『全訳　男色大鑑』自体は、BLとして売り出すわけではなかったけれども、読者層がBL享受者と重なる可能性は極めて高かった。また、そうでなかったとしても、その話の魅力を端的に伝えるという工夫は、やはり必要なことである。そしてなにより「一言キャッチ」を付けること自体が、我々編者にとって興味深い作業だったのである。一言のなかに一話のエッセンスを込めるためには、何かを選び、何かを捨てることになる。それは結局のところ、その話をどのように理解したのか、何を魅力として捉えたのかという、解釈の領域に関わる作業であり、まさに読むことの本質とも言えるものであった。

❸西鶴研究会でのシンポジウムの様子。右側から染谷氏、九州氏、大竹氏、筆者。

なお、この座談会での出会いが縁となり、翌二〇一七年八月二四日には、西鶴研究会で、大竹直子氏、九州男児氏の二名の漫画家をお招きしてシンポジウムを行っている[2]（❸）。その際に筆者は、本節に記したような、コミカライズ誕生の経緯について詳細に報告を行っている。

『男色を描く』での二つの気づき

染谷氏との共編著『男色を描く』（二〇一七年刊）には、編者のほかに八名に寄稿をお願いした。その総括は、同書の「おわりに」である程度詳しく行っているので、ここでは、あくまでも本書の目的に沿った形で報告したい。特に重要な点は二つある。一つは、「アダプテーション」「二次創作」というキーワードがクローズアップされ、それらが「過剰なる情熱」を伴って展開されるものであることに気づきが促されたということ。しかも、その観点は、原作を読む上でも示唆（しさ）に富むものであったということ〈これについては本書I第2章第1節「〈萌え〉を共振・増幅させていく〈創作〉」で詳述〉。もう一つは、創作の視点に立った作品理解・解釈の可能性とその魅力に気づかされたということ。それぞれについて、もう少し掘り下げてみる。

2　シンポジウム「『男色大鑑』のコミカライズをめぐって」、第四五回西鶴研究会、二〇一七年八月二四日、於青山学院大学。なお、西鶴研究会とは、その名が示すとおり西鶴作品の探究を目的とした研究会で、一九九五年九月に第一回を開催して以降、年二回開催、二〇一九年九月に第四九回を数える。現在のところ、コロナ禍のために開催が見送られている。

「過剰なる情熱」の発見

まず、『男色を描く』の企画の出発点に『男色大鑑』コミカライズがあったことから、コミカライズ（漫画化）という「アダプテーション」の作用に注意が向くことになった。その際、研究者の関心はもっぱら、受容者（BL愛好者）と媒体（ビジュアルに表現するコミックス）に「アダプト（適応）」させる過程を経たことで、原作がどのように変質したかということに向きがちである。だが、変質が必ずしも悪とは限らないのが、アダプテーションの面白いところだ。デフォルメとも言えるほど変質した先に、かえって原作の持つ、ある側面が浮き彫りになるという興味深い事例さえ、見いだすことができるのである（本書I第2章第1節「〈萌え〉を共振・増幅させていく〈創作〉」参照）。これは、大竹直子氏と染谷智幸氏がアイデアを共有するなかで生み出していった『男色大鑑』を端的に示すキャッチコピー、「『男色大鑑』とは西鶴の書いた最も厚い〈薄い本〉」とも響き合うものである。ちなみに〈薄い本〉とは、コミックス、アニメなどにおいて、キャラクター相互の関係性に独自の解釈を加えて（端的に言えば、性的妄想を注ぎ込んで）二次創作した作品を収録した同人誌を指す。〈薄い本〉を書く動機としては、自身の〈萌え〉を創作によって昇華したいという欲求が最も大きいものと思われる。西鶴にとっては、男色世界を描き留めることが、この〈薄い本〉の執筆にも似た、強い欲求に突き動かされたものだったのではないか、という解釈である。また、「最も厚い」というのは、かねてより繰り返し染谷氏が、論考の数々で指摘してきた通り、西鶴作品のなかで最も大部（たいぶ）な（分量の多い）作品であるという、これは文字通りの物理的な厚さを意味している。自身の偏愛を、多大な熱量を込めて描き留めるという行為自体が、すでに『男色大鑑』の随所に描き込まれており（本書Ⅰ第2章第1節「〈萌え〉を共振・増幅させていく〈創作〉」参照）、そのこと自体への気づきが、アカデミズムとエンターテインメントとの協働のなかで浮かび上がってきたということである。

創作による作品解釈

次に、創作の視点に立った作品理解・解釈の可能性とその魅力について。これは、具体例を挙げたほうがわかりやすいだろう。例えば、若衆髷を描く場合、それが、細部に至るまでどのような形をしたものなのか、正面だけでなく真後ろから見た場合に至るまで、ありありと目に見えるように把握してからでないと、コミックスで描くのに困るという漫画家の切実な要望から、顕著になったことである。一般的に、研究者が作品に注釈を施す際には、近似的な資料を探し、把握し得た範囲でそれを提供するということになる。もし、調べても把握できなかったことがあった場合は、「未詳」（まだわからない）として、触れずに済ますという選択肢が残されている。

だが、コミックスにする場合には、〈嘘〉であっても形にして描かねばならない。しかも、できることなら根も葉もない〈嘘〉ではなく、最大限の情報を集め、最後は想像力で空白を補った（あるいはリアルとは異なると知りつつ意図的に作り替えた）上で、緻密な〈嘘〉が描きたい。このような強い意欲を持ち、漫画家諸氏が、想像を絶するほどの熱意で参考資料を探し求め、背景描写のためのロケハン（現地取材）を行ってまで、一編の作品を作り上げているということを我々『男色を描く』編者は知ることになり、大いに驚かされたのである。[3] フィクションとして〈嘘〉をつく場合、何が本当のことかを知った上で、華やかに〈嘘〉を創り出すということが肝要なのだ。

　また、こうした風俗資料の観点のみならず、作品の構成や、作中人物の心情把握にしても、実際にその人物の視点に立って、あるいは、当人の身体感覚を追体験するような、主観に沿った理解の上で掘り下げがなされていくことが、研究者のアプローチと大きく異なるために新鮮に感じられた。

　研究者の行う作品理解とは、学術論文としての性質上、客観性を重視し、根拠を提示した上で行わねばならない。実際のところは、その根拠を揃（そろ）える段階で研究者自身の主観が幾分かは混入しがちなのであるが、それは客観性を装った文体のなかで見えづらいものに改変され、あたかも、完全に客観的な事実であるかのように提示されることになる（あるいは、主観の混入自体に当の研究者自身が無自覚なこともある）。これに対し、漫画家が創作のなかで示す作品理解というのは、始めからフィクションの衣をまとっている分、客観性の装いは不要である。そうではありながら、作中人物の人間性や当時の人間社会への深い洞察（どうさつ）に基づいた考察が施（ほどこ）された上で解釈が提示されるため、血の通った人間像が生き生きと提示され、結果的に強い説得力を持ち得ることになる。こうした角度からの作品解釈の可能性を、これまでのアカデミズムはあまり重視してこなかったのではないか、という反省があったわけである。

出版イベント

この『男色を描く』の出版を記念し、下北沢にある「本屋B&B」でトークイベントが開催された（二〇一七年八月二五日）。聴衆は三〇名ほど、染谷氏、大竹氏と筆者が登壇した。近年、研究書の刊行に際しても、こうしたトークイベントが行われる機会が増しているようである（ただし今後は、三密を避け、ウェブ配信に切り替わっていくことだろう）。筆者にとって（そしておそらく染谷氏にとっても）、こうしたイベントを実施することは初めての経験である。会場全体が異様なまでの熱気に包まれ（アルコールも含むワンドリンク付き）、通常の学会・研究会とはまったく異なる経験だった。また、この前日には西鶴研究会のシンポジウムが開催されており、両日とも参加した熱心な聴衆も何人かいた。このイベントを経験したことが、後日、結成されることになる若衆文化研究会への、ある種の布石（ふせき）になったものと筆者は捉（とら）えている。

3　若衆髷（わかしゅまげ）の研究のため若衆人形を入手して手元におき、忠実に再現させた大竹直子氏、六義園（りくぎえん）や王子公園でのスケッチをもとに、漫画本文や口絵を完成させたあんどうれい氏など。

3 研究会発足・テレビ番組・現代語訳・海外との接点

若衆文化研究会の発足

『男色を描く』の刊行を機に弾みがついた、エンターテインメントとアカデミズムの協働という磁場を、さらに強く、永続的なものにしていくための新たな試みとして、若衆文化研究会（略称、若衆研、もしくは、ワカシュケン）が発足した。これは、染谷智幸氏の主宰する研究会で、研究者と創作者と読者が、分け隔てなく共に学ぶところに大きな特徴がある。主たる研究領域は、江戸時代の男色文化とそれに関連する題材である。研究方法として、オーソドックスな研究発表の形式に加えて、表現活動なども積極的に取り込みながら展開している点で、従来の研究会には見られない斬新なスタイルを築きつつある。第一回（二〇一七年一一月一一日、於浅草観光文化センター、三〇名弱参加）、第二回（二〇一八年二月二四日、於浅草観光文化センター、三〇名弱参加）、第三回（二〇一八年六月九日、於東洋文庫、四〇名弱参加）までは、ごく一般的な

❹［上］若衆文化研究会「男色大鑑祭り」スライド、［下］作品の魅力を説く大竹直子氏

研究発表の形式を中心として展開してきたが、その後、「男色大鑑祭り」（❹）としてイベント化した形式で計四回実施（二〇一八年八月三〜四日、於浅草観光文化センター、一〇〇名程度参加／同年一二月二二日、於東洋文庫、五〇名弱参加／二〇一九年三月三日、於東洋文庫、一〇〇名程度参加／同年一〇月五日、於王子駅前北とぴあ、六〇人程度参加……これで春夏秋冬を網羅した形だ）。研究の視点と実作の視点の両面から『男色大鑑』について掘り下げて考察すると共に、参加者が芸術作品に親しく触れながら、新たな着眼点を模索する時間を持った。特に画家・人形作家の甲秀樹氏とのコラボレーションは特筆すべきことであり、ここからまた新たな展開を遂げていくので、この後の別項で詳しく触れることにする。

歴史秘話ヒストリアの反響

ワカシュケンとしての活動が活発に展開していたその時期に、さらに、大きく弾みをつける動きが加わった。ＮＨＫ歴史情報番組「歴史秘話ヒストリア」の「生きた、愛した、ありのまま　日本人　さまざまな心と体の物語」の放映である（二〇一八年四月二五日放映）。これは、日本史のなかに埋もれていた、性の多様性を感じさせるエピソードを特集した回である。冒頭でＳＯＧＩという概念（「Sexual Orientation 性的指向」と「Gender Identity 性自認」を合わせた略称で、すべての人が当事者であるという考え方に基づく）が紹介されるなど、現代的な問題意識のなかで歴史を問い直そうとする姿勢に貫かれている。担当のディレクター浦邉藻琴氏によると、同番組のなかでも三本の指に入るほどの反響があったという（内容の特性もあり、録画視聴率が高かったという）。三部構成の大詰め「エピソード3　〝男と男〟に秘められた　究極の愛の物語」において、ほかの部よりも多くの時間が割かれて『男色大鑑』がクローズアップされた。巻二の二「傘持てもぬるる身」、巻三の五「色に見籠は山吹の盛」、巻四の四「詠めつづけし老木の花の比」などの印象的なエピソードが、既刊コミックスの画像や、新たに描き下ろされたアニメーションなどで視覚的に表現され、そこに、森川智之氏ら人気声優が声をあてたことで、視聴者の脳裏に深くこの作品が刻み込まれることになった。また、ワカシュケンの染谷氏が番組制作に協力し、作品の解説者としてもインタビューに登場していること、『男色を描く』が参考文献の一つとして、同番組のウエブサイトで紹介されていることなど、さまざまな点で研究会での取り組みともよく連動する内容となった。

　この番組は、放送直後からSNS（ソーシャル・ネットワーキング・サービス）上の反響もおびただしく、番組内で紹介されたコミカライズ版への関心も再び高まったほか、活字で『男色大鑑』が読みたいという声も聞かれるようになった。なかには、デジタル版で『男色大鑑』を購入してみたものの文字が判読できないという嘆き節もあった（版本の影印データをダウンロードしたため、画面がくずし字で埋め尽くされていたのだ）。また、図書館で借りてみたものの、重すぎて手首が痛いというものや（通勤電車で読むことを考えれば、さもありなんと思われる）、絶版で古書価格が高騰していてまったく手が出ないという声も聞こえてきた（本稿執筆時二〇二〇年五月のネット中古市場における最低価格が二四九九七円）。つまり、番組を機に『男色大鑑』の認知度が一気に高まり、気軽に手に

❺［右］『全訳　男色大鑑〈武士編〉』と［左］『全訳　男色大鑑〈歌舞伎若衆編〉』。表紙絵は大竹直子氏画。

取って読んでみたいという需要が出てきたにもかかわらず、それに応(こた)えるコンテンツが存在していなかったのである。

そこで、価格と本の重さを抑えつつ、信頼に足る現代語訳で、読み物として独立したものを出版するという計画が新たに始動することになった。八人の訳者で手分けして訳を施し[4]、年をまたぐことなく二〇一八年一二月に前半二〇話分を収めた『全訳　男色大鑑〈武士編〉』を文学通信より刊行。後半二〇話を収めた『全訳　男色大鑑〈歌舞伎若衆編〉』は、翌二〇一九年一〇月刊行となった（❺）。いずれも、当初、目標としていた刊行時期より若干遅れたところに反省点があるが、しかし内容面では、その時点での最善を尽くし（それでも生じた不備についてはウエブページに正誤表を掲出[5]）、それに

4　佐藤智子氏、杉本紀子氏、濱口順一氏、浜田泰彦氏、早川由美氏、松村美奈氏に編者染谷智幸氏と筆者を合わせた計八名で分担。

5　若衆文化研究会公式ＨＰ「若衆研出版物（＋正誤表）」参照（下記ＱＲコード）。

伴って幾多の収穫があった。

『全訳　男色大鑑』の編集方針

『全訳　男色大鑑』の編集方針には次の五つの柱が存在した。

㋐ページ数や価格などの制約から、対訳形式（原文と現代語訳が見開きで、あるいは、ページの上下に配置して、対比させせながら読むタイプ）での出版を望むわけにはいかず、現代語訳だけで完結した読み物となるように執筆すること。

㋑コミカライズを経ることで、視覚的に作品への理解を深めることの意義を確かめたことを受け、五名の漫画家にカラー口絵と挿絵の執筆を依頼すること（五名とは、あんどうれい氏、大竹直子氏、九州男児／松山花子氏、こふで氏、紗久楽さわ氏である）。

㋒訳文の読解を助けるための解説を添えること。

㋓注は、読書時の煩雑さを減らすという観点から、努めて数を減らし、原則として図解の必要なものに限定して挿絵などで示すということ。

これに伴い、次の点も必要になった。

㋔語注や解説が必要な表現については、訳文中において、必要な情報を適宜かみくだいて入れていくこと。

以上のような方針を採ることにした時、手本として参照したものがある。それは、町田康による現代語訳『宇治拾遺物語』である。実際に執筆要領で次の一節を、町田訳の工夫が浮き彫りとなるように、古文と共に引用して提示した（傍線、引用者）。

・『宇治拾遺物語』巻一ノ三「鬼ニ瘤被レ取事」

これも今は昔、右の顔に大なるこぶある翁ありけり。大かうじの程なり。人にまじるに及ばねば、薪をとりて、世をすぐる程に、山へ行ぬ。

・町田康訳『宇治拾遺物語』

これも前の話だが、右の頬に大きな瘤のあるお爺さんがいた。その大きさは大型の蜜柑ほどもあって見た目が非常に気色悪く、がために迫害・差別されて就職もできなかったので、人のいない山中で薪を採り、これを売りさばくことによってかろうじて生計を立てていた。

その日もお爺さんはいつものように山に入って薪を採っていた。

翁は、なぜ「人にまじる」ことができなかったのか。原文では、読者が自然と感得するに任せた形で、その部分に説明する言葉がない。だが、現代の人々には、明瞭に言語化して訳したほうが理解が深まるということから、町田氏はかなり親切な訳を施したわけである。これは、注の役割を織り込んだ訳文といえる。複数の訳者で分担するなかで、そうしたプロ作家のようなテクニックがどこまで盛り込めるかはわからなかったが、理想は高く掲げたわけである。

ただ、『武士編』においては、努めて注の数を減らすという試みがある程度成功したものの、『歌舞伎若衆編』に至って、これがほぼ不可能であるという結論に達し、最終的にかなりの数の注を施すことになった。現代語訳分担者が付していなかった注を、編集段階で大幅に増やした章もある。明らかな編集方針の変更である。なぜ、そうせざるを得なかったか。それは、固有名詞などのなかに、読む上でのヒントや面白さが凝縮された状態で詰め込まれていて、それらをすべて削ぎ落としてしまうと、作品自体の魅力が痩せ細ってしまうということがわかったからである。また、このこと自体が、『武士編』と『歌舞伎若衆編』の差異を際立たせるものともなった。

また、『歌舞伎若衆編』に関しては、読者を作品へと誘うための仕掛けにも工夫を凝らした。この工夫には、BLファンにとって馴染み深いアプローチが盛り込まれている。これについては、本書I第1章第3節「『全訳　男色大鑑』の方法」で詳述する。

時系列に沿って叙述してきた本節ではあるが、この項目では、海外との接点に関する話題に限定し、時間をさかのぼってまとめておく。

まず、コミカライズ版の『男色大鑑　武士編』刊行当日に、それを紹介する英語の記事がネット上に登場している。[6] また、刊行からほぼ一週間後には、このコミックスについての海外での反響をまとめたサイトが出現したのだが、本稿執筆時、それを再確認することができず残念である。そのサイトでは、英語での投稿に混じって、スペイン語の書き込みも見られた。電子書籍も同時配信されるため、読者は国内にとどまらず、海外にも一定数存在するわけである。

他方、筆者自身の研究・教育活動のなかでも、『男色大鑑』をめぐる近年の動向について、海外で報告する機会が二度ほどあった。一つは、タイ国日本研究国際シンポジウム「メディア時代の日本研究」での口頭発表である（二〇一八年八月二五日、於チュラーロンコーン大学）。染谷智幸氏と共に「現代日本のBL文化と古典の再評価」と題したパネルを組んで発表した（❻）。染谷氏は「西鶴『男色大鑑』研究におけるエンターテインメントとアカデミズムの協働」と題する報告を、筆者は「西鶴『男色大鑑』の挿絵における視覚的効果と現実について」と題する報告を行った（本書I第2章第2節「挿絵の嘘と〈演出〉」参照）。その際に印象的であったのが、発表を聴きに駆けつけ

6　Cara Clegg執筆、二〇一六年五月一四日公開、「Saikaku's Edo-era tales of gay samurai love reimagined for a modern audience as Boys Love manga」、「SORA NEWS 24」https://soranews24.com/2016/05/14/saikakus-edo-era-tales-of-gay-samurai-love-reimagined-for-a-modern-audience-as-boys-love-manga/（二〇二〇年六月一七日閲覧）。

❻タイ国日本研究シンポジウム　［左］染谷氏とのパネルの様子［右］会場風景（2018.08.25）

たチュラーロンコーン大学の学生たちの姿である。発表の一言一句も聞き逃すまいと高い集中力で耳を傾け、「ＢＬ」というワードに輝く瞳で反応する彼ら彼女らは、それもそのはずで、日本学科で学び始める動機の主たるものの一つに、ＢＬを含む日本のポップカルチャーへの深い関心が存在しているのだ。

もう一つの機会は、フランス・パリ第七大学（ディドロ大学）に客員教授として招かれた時の講演である（❼）。一年生向けの日本古典文学史の講義において「Réception des œuvres classiques dans le Japon contemporain: l'exemple du *Nanshoku ôkagami* d'Ihara Saikaku（現代日本に於ける古典文学の受容　井原西鶴の『男色大鑑』を例に）」と題する講演を行った。講演言語は日本語で、同大学の近世文学、特に西鶴を研究しているダニエル・ストリューブ教授が逐次通訳を行ってくれた（発表で用いたスライドはフランス語で作成）。その際、話の枕として、その年の大学入学センター試験で『玉水物語』（姫を見初め、侍女に身を変えて仕える狐の話）の一節が出題され、ネット上で話題になったことを紹介した。学生たちは「ケモナー」「エモい」「百合」などの日本語をすでに知っており、ポップカルチャーが言

❼パリ第七大学 ［左］教室風景［右］講演中の筆者（2019.02.18）

語や文化の垣根を越えて、広く同時代で共有されているという現実を目の当たりした瞬間であった。「ＢＬ」「腐女子」というワードも熟知しているのみならず、「腐女子」に関しては、ほぼ毎年欠かさず、学生による研究論文（レポート）が提出されているとのことである。講演では、『男色大鑑』がコミカライズされて以降、どのような反響があったか、また、西鶴研究の面では、そこからどのような意義が見いだせるのかなどをかいつまんで話した。その後、数週間してストリューブ氏から聞かせてもらった話では、筆者の講演を聴いて以降、クラスの空気が変わり、学生たちの学ぶ意欲が高まって、雰囲気がやわらかくなったというのである。おそらく、自分たちの生活とは無縁のものとばかり思っていた日本古典文学が、ポップカルチャーの視点から再発見し得るとを知ったことが大きいのではないだろうか。また、この時の講演に際して、興味深い発見もあった。それは、「ＢＬを読む」という読書行為を、ほかの人に対して隠すのか、隠さないのかという話題である。今日でも日本国内の多くの読者においては、当人が恥ずかしさから隠すことに加えて、ほかの人の感情を害さないために隠したほうが望ましい（あるいは、少なくとも事前に警告を発するべき）と（忖度し）、自主規制する感覚がある。そうした感覚についてストリューブ氏に語ってみたところ、ストリューブ氏は、フランスではそんなことはないだろうと推測されたのである。そこで、クラスで実際に学生たちに問いかけてみたところ、やはり、隠す／隠れるという感覚はあると教えてくれた学生がいたのである。

以上で触れた話題は、筆者の知り得た、ごく限られた事例であるから、一般化はできない。だが、海外にも、本書で取り扱っている話題に強く関心を寄せる人々が存在していることだけは確かなことである。

4　演劇化が拓く新領域

甲秀樹氏とのコラボレーション

若衆文化研究会が新たな展開を遂げていくきっかけとなったのが、甲秀樹氏の主宰する絵楽塾（デッサン教室）との共催で実現した『男色大鑑』春祭り（39ページで言及したもの。二〇一九年三月開催、於東洋文庫、一〇〇名程度参加）である。甲秀樹氏は『薔薇族』の表紙絵を描いたことでも知られる作家で、会場では甲秀樹氏制作の人形と、同じく甲氏の絵画、染谷氏所蔵の浮世絵、大竹直子氏の肉筆画など計約四〇点が展示され、参加者はこれらを丹念に鑑賞すると共に、人形制作について甲氏がスライドを交えつつ展開するトークを堪能した。また、染谷氏による浮世絵解説、東洋文庫蔵本『男色大鑑』の特別展示、大竹直子氏による『全訳　男色大鑑』表紙・口絵原画も展示され、極めて充実した展覧会場となった。

初の演劇化

甲秀樹氏とのコラボレーションがさらに大きく展開するなかで、『男色大鑑』という作品が現代によみがえる過程に、新たなステップが加わることになった。初の演劇化である（朗読芝居「嬲り殺する袖の雪」、この公演を指す時にはこの表記を採る、二〇一九年六月三〇日、於新宿永谷ビル、一〇〇名程度参加）。朗読芝居という、朗読と芝居の折衷様式が採用された（朗読によって進行しつつ、要所要所で俳優による演技や踊り、ごくわずかなセリフも織り交ぜられる形式）。箏でドビュッシーの「月の光」（ベルガマスク組曲第三曲）が奏でられるという和洋折衷、能舞台風の正方形の舞台、それを仄かに照らす四隅の行灯風の照明、その周囲を観客が取り囲む座席配置、観客の鼻先をかすめるように通り過ぎる二人の俳優など、その演劇空間は、極めて独特なものに仕上がった。なお、脚本は大竹直子氏、演出・朗読は田村連氏、企画、舞台は染谷氏、箏の演奏は田中奈央一氏が担当した。昼の部と夜の部の二回上演、各回にトークの時間が設けられ、甲秀樹氏、漫画家の大竹直子氏、紗久楽さわ氏、染谷氏と筆者が登壇した。また、昼の部と夜の部の合間に、クロッキー会（最長でも五分、短い時は一分でモデルを速写することを集中特訓する）も設けられた。

この上演は、『男色大鑑』のアダプテーションが新たなアダプテーションを呼び込んだ（つまり、コミカライズ、現代語訳を経て、新たに演劇化という局面を迎えた）という点で画期的であっただけでなく、西鶴の原作そのものの読み直しにも寄与するものとして、意義のあるものとなった（本書Ⅰ第1章第4節「〈雪月花〉の舞台が伝えたもの」参照）。

また、この日のクロッキー会が盛況であったことを受けて、新たに、『男色大鑑』をコンセプトに加えたクロッキー会も後日開催され、ワカシュケンもトークや世界観の演出などの面で協力を行った（二〇一九年八月一八日実施、於新宿永谷ビル、四〇名参加）。トーク登壇者は、甲秀樹氏、大竹直子氏、染谷氏と筆者である。

刊行後の活動と反響――トークイベント、インタビュー記事、朗読会、SNS、テレビ番組――

『男色を描く』刊行時と同様に、『全訳　男色大鑑』刊行直後にもトークイベントを実施した（『武士編』二〇一八年一二月二四日、四〇名程度参加、『歌舞伎若衆編』二〇一九年一一月八日、二五名程度参加、いずれも池袋ジュンク堂で開催）。いずれの回も動画がYouTubeで公開されている。[7]

『武士編』刊行の際には、染谷氏、大竹氏、筆者の三名が「好書好日（こうしょこうじつ）」（『朝日新聞』の書評専門のウェブコラム）の取材を受け、詳細なインタビュー記事が公開されている。[8] これらの活動を通じて、この作品の魅力はどのあたりにあるのか、また、全訳に際してどのような工夫を凝らしたのかなどを披露（ひろう）することができた。

出版の反響はさらなる広がりを見せていく。ワカシュケンとは別に、朗読会「朗読散歩」主宰の土屋誠氏から、『全訳　男色大鑑〈武士編〉』を原作とした朗読会を実施したいと申し出があり、ワカシュケン有志で鑑賞する機会を得た（二〇一九年一一月四日、於すみだリバーサイドホール）。この日は三部構成で、案内チラシに「愛に垣根はあるか⁉」という問いかけが、目を惹くコピーとして提示されている。大詰めの第三部において、『全訳　男色大鑑〈武士編〉』より巻四の三「待兼しは三年目の命」の一編が取り上げられた。脚色・構成・演出は片山聖英氏、音楽はかりんとう（ギターデュオ）が担当。

事前に土屋氏、片山氏から『全訳　男色大鑑〈武士編〉』を原作として使用したいとの申し出を受けていて、面談の折に背景についてうかがうことができた。両氏は二松学舎大学で青山忠一氏（日本近世文学研究）の教えを受け、西鶴の講読も経験していること、そして、このたびの朗読会のテーマにたどり着いたのは、書店でコミカライズ版『男色大鑑』や『全訳　男色大鑑』を手にしたことが大きなきっかけであったこと、さらにテレビドラマ『おっさんずラブ』（二〇一八年にシリーズ1がテレビ朝日系列で放映）が話題になったことなどから、物語を通じて性の多様性について考える機会が増えていることに感銘を受け、その流れを加速させたいと考えていることなど

7　YouTube「『男色大鑑』［なんしょくおおかがみ］文学通信。下記のQRコードからサイトに飛べる（二〇二〇年五月二三日閲覧）。

8　文・菅原さくら「ボーイズラブが地味な古典を救った？　井原西鶴の奇書「男色大鑑」をBLとして読む」https://book.asahi.com/article/11959797（二〇二〇年五月二三日閲覧）。

をお聞かせいただいた。

　この朗読会の開催はまさに、アダプテーションがアダプテーションを呼び込む事例の一つと言えるだろう。土屋氏、片山氏は、もともと『男色大鑑』という作品のことを知らずにいたわけではなかったが、そのアダプテーションに触れたことが、作品を新たな観点から掘り起こすきっかけとなったのである。また、『男色大鑑』のBLへのアダプテーションが、決して「若い」「女性」のためだけに存在しているのではないということを証し立てるエピソードでもある（なぜこれを強調するかと言えば、BLとは「若い女性のためのコンテンツ」という誤解にしばしば遭遇するからである）。

　このほか、SNS上での反響は種々あり、それらすべてを網羅することは難しいが、一つだけ紹介してみたいものがある。それは、個人的にランキングを提示するツイートやブログが存在するということである。メガネ氏@todoroki_meganeが代表的だが、[9]このほかにもツイート内で自分にとっての『武士編』『歌舞伎若衆編』それぞれのベスト3を記すあゆくま氏@April_Ayukumaなど、いずれも興味深い反応であった。実は、ワカシュケンの男色大鑑祭りにおいても、同様の投票を行ったことがある。人気作の順位は、その時々で微妙に揺れ動きながらも、ある程度普遍性のあることが次第に見えてくる。それが、コミカライズでの選択（『男色大鑑』全四〇話から二〇話がコミカライズ）や、二〇世紀の初めにフランスで出版された抄訳での選択とも共通性があるというのは興味深いことであり、時代や読者層の違いを超えて、普遍的に好まれる作品の特徴というものが見えてくる。[10]

NHK「先人たちの底力　知恵泉(ちえいず)」で二週にわたって西鶴が特集され、その第二週において『男色大鑑』が取り上げられたことも、この一連の流れの余波として位置づけることができる（二〇二〇年四月一四日放映「〝愛〟を止めるな！　井原西鶴〜人生を楽しく生きるために」）。当初は『好色一代男(こうしょくいちだいおとこ)』に焦点を絞って構成する予定であった第二週の内容は[11]、最終的に『好色五人女』と『男色大鑑』で構成されることになり、しかも、比重としては『男色大鑑』にかなりの時間を割(さ)くものとなった。解説者として染谷氏も登場している。放映中からツイッター上に『男色大鑑』に関する呟(つぶや)きが複数登場し、「歴史秘話ヒストリア」の「生きた、愛した、ありのまま　日本人　さまざまな心と体の物語」回での反応が、やや小規模な状態で繰り返されたような印象を受けた。すでに、ヒストリアを通じて『男色大鑑』の存在を認識していた人々にとっては、そこまでのインパクトはなかったであろうが、この番組を通じて初めて、西鶴が男同士の恋愛を描いていたのだと知る人も一定数いたことは確かである。啓蒙的なメディアの存在意義はここにもある。

そして、二年前のヒストリアの時点との大きな違いとして、『男色大鑑』に関心を抱いた人々が、

9　「井原西鶴『男色大鑑―武士編―』萌え話ベスト3」、「「推しの尊みが過ぎる！」全訳　男色大鑑歌舞伎若衆編　私的萌え話ベスト3」が、「メガネの防備録」https://todoroki-megane.hatenablog.com/ の「江戸BL」のページに収められている（二〇二一年三月二日閲覧）。

10　これについては、本書Ⅰ第1章第2節4にも記しており、また、注1で参照した染谷（二〇一九）でも考察がなされている。

11　筆者は同番組の企画段階で担当ディレクター琢磨修一(たくましゅういち)氏（テレビマンユニオン）より相談を受け、企画内容について率直な意見をお伝えすると共に、染谷智幸氏を紹介した。

それぞれの好みに応じたコンテンツへと手を伸ばしやすくなったということがある。二〇二〇年一一月には、富士正晴氏による現代語訳『男色大鑑』が角川文庫から出版された。[12] 抄訳とはいえ、初の文庫化だ。アダプテーションも確実に広まってきている。九州男児氏による新たなコミカライズのシリーズが進行中であり、[13]『男色大鑑』の一話を落語に仕立てた事例、[14]『男色大鑑』を原話とする小説も複数登場しつつある。[15] 今後は、こうした創作の形での解釈の提示、あるいは、創作を通じて作品への理解を深めるといった取り組みが加速していくものと思われる。これは、古典をめぐる新たなフェーズ（局面）といえるのではないだろうか。そうした新たなうねりのなかで、古典文学研究者にできることとは何か、また、これまで地道に積み上げてきた学界の成果が、こうしたうねりのなかで生かされていくためには、どのような発想が必要か、真剣に考えていく必要があるだろう。そして、本書では、この一連の流れから何をくみ取ることができるのか、今後に役立てられる視点があるとすれば、それはどのようなものか、丹念に拾い出し、提示していく予定である。

12　「一九七九年に河出書房新社より刊行された『現代語訳　日本の古典17　井原西鶴集』を抜粋のうえ再構成」、「注釈は池田弥三郎作成のものを同書より掲載」したものであるという（巻末注記より）。従来の注釈本のスタイルであるため、あわせて読むと、『全訳　男色大鑑』の工夫が浮き彫りとなることだろう。

13　『男色大鑑　改　若衆編　完全版』、二〇二〇年、『男色大鑑　武士編　改　～いくえにもかさね添いとげるこい～』1～6、二〇二〇～二一年、いずれも光文社より電子書籍で刊行中。

14　「井原西鶴『男色大鑑』もとに二月二五日に開かれたＬＧＢＴ落語研究会の発表会で、同会メンバーの艶目家（いろめや）龍刃坊さん

15

が創作落語・『伽羅の香』を披露した」とのことである（「LGBT落研：創作落語を初披露」http://www.labornetjp.org/news/2020/1582687435228staff01〈二〇二〇年五月二四日閲覧〉）。ワカシュケンの会員である泊瀬光延氏による「西鶴新お伽草紙「嬲りころする袖の雪」」https://kakuyomu.jp/works/1177354054890371989#reviews、同じく会員のおぼろつきよ氏による「江戸鯉物語　花の盛りで死ねれば本望」https://kakuyomu.jp/works/1177354054886611088、「若衆は白梅の香り」https://kakuyomu.jp/works/1177354054888324085、「野の花いちりん」https://kakuyomu.jp/works/1177354054892439686、「狸のあだうち　ご寵愛いただいた我が身」https://kakuyomu.jp/works/1177354054891120970など。また、ワカシュケンとは別に、『男色大鑑』を原作とした創作として、戦国セーラー女装恵美氏による女装訳「男色大鑑」全六話がある https://note.com/josou/m/m044677cb5e1（以上すべて、二〇二〇年五月二四日閲覧）。

第2節 基礎知識『男色大鑑』の世界

1 はじめに

コミカライズ版『男色大鑑（なんしょくおおかがみ） 武士編』、『男色大鑑 歌舞伎若衆編』、『男色大鑑 無惨編』の三冊に寄せた解説文の再録である。表現が不正確であったり、曖昧であったりしたところを修正し、注を追加している。

2 『男色大鑑』の世界

(1) 衆道入門

二つの色

大学の授業などで西鶴の作品を読もうとする時、この時代には二つの色（恋愛）がある、ということを、まず学生に説明しています。それは、女色と男色のこと。どちらも男性目線の言葉で、男性が女性との恋愛関係を求めるのが女色、男性が男性との恋愛関係を求めるのが男色です（「男色」が男×男なら「女色」は女×女かとの誤解が生じがちですが、動作主体はあくまで男性であることに注意）。西鶴が創出した稀代の色事師・世之介は、三七四二人の女性に加えて、七二五人の美少年との恋を楽しんだとされています。あまりの誇張に笑いがこみ上げてきますが、美少年も守備範囲に収めていたからこそ、世之介の色道（恋愛修行）はより一層パーフェクトなものとなるのです。女性と男性の比率が約5対1であるのは、この時代の風俗を考える上で、なんらかの手がかりを我々に与えてくれているように思われます。当時、男色がどの程度一般的であったのかということを考える時、すべての男性が必ず男色に関わっていたということは考えづらいけれども、それでは、極めて特殊なのかと言えば、そうでもないらしい……。では、その比率はどのくらいが適当なのだろうかといったことを考える際、この誇張された数字の奥に、この時代の人々が共有していた感覚（女色に向かうか、男色に向かうかのバランスは、それが日替わりという可能性も含め、たぶんこのくらいだろう）というものが透けて見えるような気がします。

「美少年を好む」というたしなみ

美少年のことを、この時代の言葉で「少人」「美童」「若衆」などと呼び、若衆を好む色の道を「若衆道」、さらにそれを縮めて「衆道」と呼びます。武道や書道と同じように「道」が付くということは、ある種の精神性を伴うということで、厳しく自己を律しながら、鍛錬してその奥義を究めるとの意味合いもそこに込められています。「美道」とも言います。「うるはしき友」を持つことは、洗練された感性を誇る男性たちにとって、好ましいたしなみでもあったのです。そこには厳しい掟が多々あります。まず、衆道に励む者は、女性と言葉を交わすなどもってのほか、目を向けることさえも慎むべきとされます。女性だけではありません。ひとたび、兄分（念者）として弟分にあたる一人の男の子と念契（ステディな関係）を結んだら、ほかの少年に気を移すような振る舞いも厳に慎まねばなりません。もっとも、理想と現実とは常に隔たるのが人間の悲しいところです。例えば、念者がうっかりほかの美少年の盃を受けようものなら、必ずそれが若衆の耳に入り、嫉妬心から最後は悲劇に至ることになります（例えば、『男色大鑑』巻三の二「嬲ころする袖の雪」）。若衆にもまた、身だしなみの整え方、情け深いということがなにより大切であるということなど、種々学ぶべき項目があります。

若衆の魅力

さて、若衆の最大の魅力はなんと言っても「前髪」にあります。若衆のことを「前髪」と呼ぶこともあるほどで、「前髪」を保っていることが、未成年の証しです。元服（成人）すると前髪を剃り落とします。成人年齢が現在のように厳密に決まっていたわけではありませんが、おおよそのところティーンズでいられる間だけが、若衆の季節だということで、まさに「時の花」、その美しさは時間と共に失われ、二度とは戻ってこないのです。季節が過ぎれば、どれほどもったいないと思われても、泣く泣くその姿を変えなければなりません。そしてひとたび元服すれば、もう二度と恋の相手をしてくれることはなく、「落花よりはつれなし」（散った花よりもつれない存在となる）と言います。こうした前提を考えるなら、巻四の四「詠めつづけし老木の花の比」のように、老人になっても前髪を保っているということが、いかに特殊か、よくわかることでしょう。それゆえにこの話は『男色大鑑』のなかでも異彩を放っているのです。老人二人の姿はコミカルでもあるけれど、願っても叶わないある種の理想を、ここに描いたものと見ることもできるでしょう。

若衆の美しさを西鶴はどのように表現しているのでしょうか。まず、花に喩えるならなんと言っても梅の花です。「若衆は、針ありながら初梅にひとしく、えならぬ匂ひふかし」と西鶴は語っています。「針」があるというのは、単に美しいばかりではなくて、男の子としての心根の強さ、凜としたたたずまいがあるということ（152ページで詳しく述べています）。たとえ年下の子であっても、侮ることのできない強さが秘められている様子を指しています。これは「意気地」という言葉で捉えることもできるものです。自らの命に代えてでも自分の信念を貫き通すような（そして実際に命を落とす）激しい気性の男の子が『男色大鑑』には多数登場します。「初梅」とは、これからまさに花開こうとしている姿を捉えたもので、匂い立つような、すがすがしい美しさ、そして若さそのものが表現された言葉です。もちろん、若衆はたしなみとして香を薫きしめますから、近くに寄れば、実際に素敵な香りがしたことでしょうが、ここでの「匂ひ」は、若衆の全身から感じられる魅力を指していると考えるべきでしょう（古語「匂ふ」は色がひときわ美しく人目に立つ意）。

西鶴独特のフェティシズムとして、後ろ姿への執着ということが挙げられます。歌舞伎若衆の「うしろつき」が今を盛りと咲く桃の花のようであり、柳が風を含んだ姿のようだと描写します。桃や柳に例えること自体は、西鶴以前の文芸にも見られるのですが、「うしろつき」を強調するのは西鶴独特の感覚です。また、巻二の二「傘持てもぬるる身」では、殿の小姓でありながら念者を持った小輪が、そのことを殿にとがめられても謝罪せず、手首を切り落とされてなお、くるりと背を向け、「このうしろつき、また世にも出来まじき若衆、人々見納めに」（「この後ろ姿、この世に二つとはない若衆ぶりでしょう。皆様見納めです……」）と最期の瞬間に美しい後ろ姿を見せる場面が描かれます（❶）。その直後に殿は小輪の首を長刀で切り落とすのですが、血に染まる凄惨な場面でありつつも、若衆のたおやかな後ろ姿が鮮明に描き出され、極めて印象深い場面となっています。▼1 少年の、ほとんど肉のついていない、ほっそりとした肩や、しな

❶『全訳　男色大鑑』挿絵（大竹直子氏画）より。

1　このシーンはのちにヒストリアで大竹直子氏の漫画とともに紹介され、反響を呼びました。

やかな背中に、独特の色香があると西鶴は見ていたのではないでしょうか。

（2）作品について考えるために

海外でのサイカク

西鶴の読者は、日本国内にとどまらず広く世界中に存在しています。そして、海外の読者がサイカクに関心を寄せる場合の多くが『男色大鑑』の作者としてなのです。日本国内であれば、西鶴の名は、『好色一代男』、『日本永代蔵』、『世間胸算用』などの作品とともに紹介されることが多いのですが、英語やフランス語でサイカクに触れる読者は、『男色大鑑』に心惹かれてということが非常に多いのです。その理由は、二〇世紀初頭、初めて西欧の言語に訳された西鶴作品が、実は『男色大鑑』のアンソロジーだったというところに求めることができます。キリスト教社会において、男色は長きにわたって（あるいは現在も）宗教上のタブーであり、また、時代によっては法的にも罰せられる行為とされていました。そうした時代においては、西鶴の描き出した、詩情あふれる華麗な男色物語は、それを渇望してやまぬ人々の心を密かに潤したに違いありません。

現在では、西鶴作品の多くが英語やフランス語で読めるようになっています。『男色大鑑』は、英語では *The Great Mirror of Male Love*（ポール・G・シャロウ訳、一九九〇年、スタンフォード大学出版）、フランス語では *Le grand miroir de l'amour mâle I, II*（ジェラール・シアリ訳、ミエコ・ナカジマ＝シアリ協力、一九九九、二〇〇〇年、フィリップ・ピキエ社）となっていて、どちらも文字通り「男色」の「大鏡」となっています。翻訳（しかも全訳）が出たことで、ゲイ・スタディーズ[2]の研究者も本書を手に取るようになり、日本文学研究者とは異なる視線でこの作品を読み解く機会も生じてきました。それに伴い、日本国内の西鶴研究も、この作品を新たな角度から読み直す必要が出てきています。

多面的な作品

国内の西鶴研究においては、『男色大鑑』は極めて「真面目」に読まれてきました。そして、常に評価の対象となるのは、先に述べたような若衆の「死をも辞さない強い心」、つまり、「意気地」が描かれた作品ばかりなのです。そこでは、若衆をめぐる三角関係の緊張が、どのように解消するのかということが常に焦点となっています。もちろんそうした構図は、物語としての魅力に富み、小輪の凄絶な最期のように、深く人々の記憶に刻まれるエピソードにあふれています。そこに研究者の注意が向くのも当然でしょう。しかし、それ以外の話は、それでは単なる埋め草にすぎないのでしょうか。老人カップルの登場は、息抜きのためのちょっとした笑いのツボなのでしょうか。

こうしたことを考える上で、海外の研究者、しかも、日本研究者ではなくてゲイについて研究してきた人々が着目した観点が非常に役に立つということが次第にわかってきました。『男色大

2　英訳『男色大鑑』の出版された一九九〇年当時ゲイ・スタディーズと呼ばれていた学問は、その後、クィア・スタディーズという、多様な性についての学問として展開しています。

鑑』のなかには、ＬＧＢＴのうちのゲイもバイセクシャルも描かれているように見えるというのです。これは、従来の西鶴研究者の、まったく考えてみなかった視点でした。確かに、そうした眼で作品を読み直してみると、さまざまなことに気づかされます。

まず、『男色大鑑』のなかには、女性のことを極端に忌避（きひ）する男たちの一群が描かれています。女性が向こうから歩いてくるたび眼をつむるとか、そもそも女性を見ないで済むように、女性たちの行列が通る側の窓を完璧に塗り塞（ふさ）いでしまうとか、母親も女性であるから自宅に入れるのはもってのほかとばかり、外に作った東屋（あずまや）でのみ母に会う男とか、もう、枚挙にいとまがありません。そして、そのどれもが「フツーそこまでするか！」とツッコミを入れたくなるような、バカバカしいほどの徹底ぶりなのです。これはどういうことなのでしょう。彼らは、ゲイかどうかはともかく、「女嫌い」にカテゴライズされるのでしょうか。

次に注目すべきは、『男色大鑑』に意外にも数多くの女性たちが描かれているということです。そして、それらの女性たちはいずれも、惚れ惚れ（ほぼ）とするような美人ばかりで、そうした女性たちにいつのまにか眼が吸い寄せられている男たちもまた、多数描き込まれているのです。これまた、どうしたわけなのでしょうか。しかも、女性と話をしたり、女性の窮状を救ったりして一定の関わりを持ちながらも、「でもボクたちは男色の道を行くのでね」と別れを告げ、女性との間に再び距離をおこうと努力する男たち。この面々は、本質的にはバイセクシャルなのでしょうか。しかし、結

西鶴の意識のなかに、ゲイやバイセクシャルの区別があったとは到底思えません。

果としてこの両方を連想させる男たちが描かれていること、しかも、そのどちらのタイプにもコミカルな要素が含まれていることの意味は、よく考えてみる必要があるように思われます。おそらく、読者に多様な存在がありうることを、西鶴は想定していたのではないでしょうか。「女性と関わりを持つなんて、とんでもない」と衆道の掟を厳密に守ろうとする読者層も、「そうは言っても、女性と過ごす時間も捨てがたいんだよね」という読者層も、どちらもあり得るのですから、その両方を楽しませたいという欲があったのだろうと私は考えています。では、コミカルな要素は、なぜ必要だったのでしょう。そもそも、ここでの「笑い」の質とはどのようなものなのでしょう。これについては、歌舞伎若衆編の解説でさらに展開してみたいと思います。

3　続・『男色大鑑』の世界

(1) 歌舞伎役者を描く

公開されたプライベート

『男色大鑑』という作品は、九歳の男の子二人の幼くも真剣な「衆道ごっこ」から始まって（巻一の二「此道(このみち)にいろはにほへと」）、歌舞伎役者と郊外へ出掛けたら、追っかけファンの女の子に何度も出会って参ったという話で終わります（巻八の五「心(こころ)を染(そめ)し香(こう)の図誰(ずはたれ)」）。前半と後半で、ずいぶんとトーンが変化していますね。硬派な武家若衆が多数登場する前半部は、起伏に富んだ物語が多く、若衆が死を迎えてすべてが終わるという展開も少なくありません。これに比べると後半部は、まるで西鶴の日記かエッセイを読んでいるかのような錯覚に陥る話もあり、「物語」とは呼べないのではないかとの印象を受けます。実際、西鶴は多くの歌舞伎役者と交流があったようで、『男色大鑑』で描かれるエピソードの数々には、実体験が相当に反映されているものと思われます。「岡田左馬之助という優男に誘われて」とか、「大和屋甚兵衛を誘ってご開帳見物にくり出したら」との書き出しも、プライベートでの役者との付き合いをことさらに強調し、自慢しているような印象を与えています。

西鶴の好きな男の子

実は、西鶴には贔屓にしている役者がいたようで「人は何とも言へ、辰弥よき子にて候」と書いた手紙が残っています。「誰が何と言おうと辰弥はいい子だ」と言う口ぶりから、周囲の評判（おそらくは性格や言動についてのものと思われる）が必ずしも芳しくない上村辰弥を、いえ、むしろ芳しくないからこそ、自分が守らなければと思ったのか、ともかく目に入れても痛くないほど溺愛している様子がうかがえます。

朝井まかてに『阿蘭陀西鶴』という小説があります。盲目の娘の視点から父・西鶴を描くなかで、印象深い登場人物の一人として辰弥が登場します。男も女も一瞬で虜にしてしまうほどの美しい容姿が、むしろ辰弥自身には苦しみそのものであり、盲目の娘と共にいる間だけ（つまり「外見の美」に惑わされないからこそ）辰弥に心の安らぎが訪れるという描写が秀逸です。「人は何とも言へ、辰弥よき子にて候」という言葉を深読みすると、「辰弥の性格には難があって、その言動を皆がとがめるかもしれないが、それでも辰弥はよい子だ、だってあの美しさにすべてが許せるじゃないか」と読めるということかもしれません。作家の想像力に脱帽です。

ちなみに『男色大鑑』に登場する辰弥は、「役者がいくら心中立て[3]をすると言っても、指なんてそうそう切れるものではないさ」と言う客の戯れ言を耳にして、脇差に親指を押し当て切り落としてみせます。この出来事を批評するにあたり、「無分別といふ人はのけて置て」（辰弥の行動を無分別だなんていう人は相手にしないで）、「古今の芸子のうはもり」（辰弥は古今の歌舞伎若衆の鑑だ）と絶賛する語り手の口ぶりからも、手紙の文言と同様の心理が読み取れそうです。皆が手放しで褒める役者ではないからこそ、自分がこの子の応援団長になるのだと宣言しているかのようです。辰弥という個性的な役者の姿を通して、西鶴がどのようなタイプの人間に心惹かれる人であったのか、推測してみることができそうです。

「情けにあふれた若衆」という〈演出〉

個人的好みがいささか目立ち過ぎているきらいはあるものの、しかし、『男色大鑑』後半部が西

3　心中立て　相手への想いが真実であることを示すために、指を切る、腕や股を刃の先で突くなどすること。

鶴の単なる雑記帳である（つまり単純素朴に事実を書き留めたもの）とする読み方には、異を唱えたいと思います。なぜなら、そこには、周到な計算によってもたらされた〈演出〉が存在しているからです。この点について、「情け」をキーワードに考えてみます。

「情け」とは、衆道において、若衆が身につけるべき最も重要な徳目とされています。誰かから思いを寄せられた際、その思いに努めて応えるようにすることが「情け」です。それはつまり、他者の心情に敏感に反応する、やわらかな感性ということにもなります。

「岡田左馬之助という優男に誘われて」という前置きで始まる巻七の五「素人絵に悪や金釘」で語り手は、地引き網漁の見物にくり出します。鯛を塩焼きにし、盃を交わしていると、沖から板切れが流れてきました。少年の姿が描かれていて、その全身にビッシリと金釘が打ってあります。なんと筑前（今の福岡県）の醤油屋の万吉、一五歳の姿であるということが、板の裏に書き付けた文言からわかります（福岡から堺まで、はるばる波に乗って運ばれてきたという設定です）。「自分が想いをかけたのに応えてくれなかった万吉は薄情だ。どうか七日の間にとり殺してくれ」という恨みが記されていたということで、つまりは人を呪って神仏に祈願をした絵姿でした。一同興ざめな気分になったところ、左馬之助がこの板を取り上げて次のように言います。「この男は愚かなことをしたものですね。私は、ご存じの通り、さまざまな客と夜を共にする身であるけれども、深く想ってくださる方のお気持ちは決しておろそかにはいたしません。まして、素人の若衆であれば、自分のことを想ってくれる人の恋心を知らないはずはありません」。そして、涙を流しながら釘を一つ一つ取り除き、「何の罪もないこの少年の身に、呪いが及ぶなんてあり得ないことです」と語ったということで、語り手は「これこそまさに衆道のあるべき姿を示した振る舞い」と絶賛します。

しかし、すでにお気づきのように、福岡で海に流した板切れが堺に流れ着くなんて、やはりかなり無理のある設定ではないでしょうか。当時の人々も「いやいや、まさか」と苦笑していたかもしれません。

このエピソードはつまり、岡田左馬之助という役者が、いかに情けにあふれているか（しかも、泣きながら釘を一つ一つ抜くなどという純粋さを保っているか）を強調するためのフィクションであるのです。福岡から大阪湾へという大げさな設定がそれをほのめかしています。

西鶴が歌舞伎役者のことを描いた作品は『男色大鑑』以外にもあります。役者評判記（文字通り、役者の評判を一人ずつ記したもの）というジャンルの『難波の皃は伊勢の白粉』という作品にも、岡田左馬之助は登場するのです。しかも、色を売る若衆として身体的魅力に富んでいると強調されています。とはいえ慢心は禁物、初対面の客には「おむく」（お無垢、初々しいさま）な印象を与えるように振る舞い、次第に親しくなるにつれて意気の強さを見せるように、などと客あしらいの秘訣まで書き込まれていて、舞台裏の事情までも明け透けとなってしまう書きぶりです。これに照らして先のエピソードを読み直してみると、「少年の絵」に刺さった釘を、泣きながら抜き続ける左馬之助の「お無垢」さが際立つように思われませんか。『男色大鑑』のなかでは、色を売るという側面は抑えた筆致で描かれるのみですが、西鶴がその側面に目をつぶっていたわけではないことは、『難波の㒵は伊勢の白粉』を読むとよくわかることです。つまり、『男色大鑑』では、若衆の人間的な魅力が引き立つように、実は細部まで〈演出〉を施しているということなのです。体験を素朴に書き留めたというようなものではまったくなく、むしろ、かなり戦略的に用意されたエピソード群ではないかと私は考えています。

（2）作品を読み深めるために

三人称と一人称

コミックスも「武士編」と「歌舞伎若衆編」に分かれていますが、原作の『男色大鑑』においても、前半部のほとんどが武家若衆の話で占められており（一部に町人、僧侶・神官）、後半部は完全に歌舞伎若衆の話で占められています。そして、語り方の面で見てみると、前半部は物語として自然に読める「三人称」の語り方が、後半部は語り手自身が話のなかに登場してくる「一人称」の語り方が多く使われています。もうほとんど別の作品ではないかと思われるところですが、しかし、この両者を取り合わせて一つの作品にしたことの意味を考えておく必要があります（「一人称」「三人称」という術語はもちろん近代の産物ですが、古典にも「一人称」的であるか、「三人称」的であるかの違いは存在します）。

身分制社会のなかで

ここで視点を変えて、江戸時代の社会制度のなかで本作について考えてみましょう。江戸時代が、武士・百姓・町人といった身分の別のある、身分制社会であったということは歴史の教科書で学んだ通りです。そうしたなかで、歌舞伎役者や遊女はどのように位置づけられていたのでしょうか。歌舞伎役者も遊女も、ともに大勢の人々の前に顔を見せる仕事であり、流行の発信源ともなり、その美しい容姿と優れた才能に多くの人々が憧れを抱く、特別な存在感をもった人々でありながら、しかし、身分制社会のなかでは、時におとしめられることもある存在でありました。役者の場合、舞台上で時に惨殺される役を演ずるなど、人々の受ける苦しみを身代わりとなって背負う存在と見なされることもあります。『男色大鑑』後半部は、そうした歌舞伎役者を描いているのです。

ここで、西鶴が大変大胆な試みを行っていたことに気づかされます。前半部の武家若衆の話とまったく同じボリューム（二〇話）を、歌舞伎若衆の話にも割り当てているのです。つまり、武家若衆について語るのと同じくらいの重要性が、歌舞伎若衆を語ることに見いだせるということではないでしょうか。ただし、両者の順番を入れ替えることは不可能でしょう（つまり、最初に歌舞伎若衆二〇話を描いたのちに武家若衆二〇話を描くということは当時の感覚として考えにくいということ）。それでも、同じボリュームで提示して見せたこと自体に、西鶴の巧みな戦略があったのではと考えています。さらに、もう一歩踏み込んで考えるなら、前半部の武家若衆たちの持つ煌（きら）めきが、後半部の歌舞伎若衆たちを照らし出すある種のレフ板（写真撮影で対象の魅力を高める反射板）の役割さえ果たしていたのではないかとも思われるのです。もちろん、武家若衆の話はそれ自体魅力に富み、歌舞伎若衆の添え物であるかのように捉えるということは、問題かもしれません。しかし、武家若衆の話の後に置かれたことで、武家若衆の持っていた激しい生のありようが、歌舞伎若衆の話にもさらに彩りを添えているように思われます。

なぜ「一人称」なのか

後半部において、たびたび「我」というような一人称が出てくるのはなぜなのか、私なりにこれまでさまざま考えてきたのですが、一つには、歌舞伎若衆の仲間の立場から語ろうとした、ということがあるように思われます。その身分をおとしめながら語る（あるいはその宿命を仏教的諦念で捉えながら語る）という当時の文芸スタイルを採用せず、役者とフラットな関係性を保ちながら語るという、新たな文芸スタイルを目指したのではないかということです。

また、別の観点として、「我」が登場するシーンに必ずと言ってよいほど、女性（しかも「飛びっ切りの美人」！）が登場することから想定される、もう一つの答えがあります。それは、衆道だけに励むにはやや迷いが多く、女性にいつのまにか視線が吸い寄せられている（意志薄弱な！）男たちの心情を「我」で引き受け、時にコミカルにそうしたゆるさを描き込んだのではないかということです。自分で自分を笑うのであれば、それは人を傷つけるような笑いではなく、ほんのりぬくもりのある笑いとなります。『男色大鑑』全体をゆるやかに覆う「笑い」の要素は、しばしば「我」と結びついていますが、それは、微温的な笑いで多様な読者に親近感をもってもらおうとした西鶴の戦略であろう、このように思われるのです。

まだまだお伝えしたいことが山ほどあるのですが、紙数も尽きました。ぜひ、ここから先は皆さんが西鶴の作品を手に取って考えてくださるように切望してやみません。いつかまたお目にかかりましょう。

4 続々・『男色大鑑』の世界

血と純愛

突然ではありますが、ウォン・カーウァイ監督の『ブエノスアイレス』（一九九七年公開）という映画をご存じでしょうか。正統派の美形男子トニー・レオン（この映画では、どことなく三島由紀夫風）、儚(はかな)げで危なっかしくて、それゆえに愛くるしいレスリー・チャン、香港(ホンコン)を代表する二大スターが共演した、男と男の恋の物語です。この映画のことを思い出す際、まず始めに浮かぶイメージはイグアスの大瀑布(ばくふ)であり、その情景を包み込んでゆったりと流れるカエターノ・ヴェローゾの「ククルクク・パローマ」です。しかし、実際には、この美しいシーンの開放感にひたるよりも先に、観客は、男同士の激しい性描写に度肝(どぎも)を抜かれ、軽いショック状態に置かれます。それは監督から観客への挑戦状であったのかもしれません。男二人が激しく「格闘」し、互いを貪り合う姿には鬼気迫るものがありました。この映画に出会った当時、『男色大鑑』の研究に取りかかりつつも、どうしても感覚的につかみきれないものがあると感じていた私は、このシーンを観た瞬間に、ふと腑に落ちるものがありました。血の気の多い男と男が恋に落ちるのだから、血の流れないほうがむしろおかしいではないかと。痛みを伴って流れる血こそ、深い愛情の表れではないかと……。ちなみにこの映画の英題は『Happy together』。この題名からさえも、ひりつくような痛みが感じられるのは、結末のアイロニーの強さゆえでしょう。

『男色大鑑』セレクション

かつて、*Contes d'amour des Samouraïs*（『サムライの恋愛譚』）の題でフランス語訳『男色大鑑』が刊行された時（一九二七年刊、七五〇部限定）、その作品集は、いくつかのエピソードを寄せ集めた「抄訳」という体裁のものでした（厳密には『男色大鑑』以外にも『武道伝来記』『武家義理物語』『万の文反古』の話も含む）。その時にセレクトされた話と、今回のコミカライズ版『男色大鑑　武士編』にセレクトされた話とは、実に不思議なほどよく符合しています。コミックスの七話のうちのなんと五話が、仏訳セレクションにも入っているのです（「色に見籠は山吹の盛」「詠めつづけし老木の花の比」「嬲ころする袖の雪」「垣の中は松楓柳は腰付」「東の伽羅様」）。これは実に興味深いことです。時代や言語や対象読者が異なっても、『男色大鑑』セレクションを作ろうとした場合、おのずから選ばれる作品群があるということになるのではないでしょうか。初めてこの書を手にする読者にも興味をもってもらえる話、登場人物の個性や話の展開そのものに独自の魅力がある話ということを考え合わせていくと、自然と絞り込まれてくるのでしょう。

ちなみに仏訳セレクションには、全部で一三話が入っています。そのうち『男色大鑑』から採った話は九話、そこから『武士編』収録の五話を除いて、まだセレクトされる可能性のある話が、少なくともあと四話あるということになります。それは、「薬はきかぬ房枕」「傘持てもぬるる身」「思ひの焼付は火打石売」「玉章は鱸に通はす」です。つまりこれらの話が、収録の待たれる話であったわけです。この四話のうち、「思ひの焼付は火打石売」だけは歌舞伎若衆の話でありますので、少々雰囲気が異なりますが、あとの三話はいずれも血と純愛の物語。そのなかで今回の無惨編では「傘持つてもぬるる身」と「玉章は鱸に通はす」の二話が選ばれるということになりました。やはり、いずれの話をセレクトするのかという判断が、二〇世紀初頭に出た仏訳と本シリーズとで、極めて近似しています。感性を共有する面があるのかもしれません。

武士道・死・同性愛

「武士道といふは、死ぬ事と見付けたり」で知られる『葉隠』は、鍋島藩士山本常朝の談話を聞き書きしたものです。実はそのなかに『男色大鑑』への言及があります。山本常朝は、西鶴の熱心な読者だったのです。「念友のなき前髪、縁夫もたぬ女にひとし」（兄分を持たない若衆は、夫のいない女と同じだ）と西鶴が書いたのは名文だと褒めつつ、衆道の心得を詳しく説いています。武士道と死と同性愛とは、互いに縁の深いものなのです。[4] 武家における衆道のルーツは、戦に臨んで死を恐れぬ戦士を育むための、命に代えても守るべき男同士の絆というところに求めることができます。そこでは「死」こそが最大の愛情表現であったとも考えられます。

江戸時代になり、戦国時代の遺風として衆道が人々の間に浸透した際、相手への誠実さの度合いを示す行為として、腕や股を刃の先で突く、指を切るなどの「心中」が行われたのも、死に準ずる愛情表現として捉えると、よく理解できるのではないでしょうか。血を流し、痛みを負うことで相手に想いを伝えるのです。遊郭の遊女もまた、爪を剥がす、髪を切るなどの「心中」を行いますが（髪は女の「命」ですから、これを切ることは、血が流れなくとも本来の目的を達しているわけです）、これらは、衆道の風俗が形を変えつつ取り込まれたものと考えられます。入れ墨（「いれぼくろ」という）も、こうした行為の延長として捉えることができるでしょう。特に相手の名前を彫り込む場合、二重の意味での愛情表現となったわけです。

なお、『男色大鑑』のなかでは、「雪中の時鳥」という話で、二人の若衆が同時に、兄分になってくださいと、ある男に懇願し、苗字、名前をそれぞれが入れ墨して口説きます。この振る舞いに男は、それは女のすることと一蹴しますが、二人が切腹の覚悟で来たことを知り、自らの非を悔いて、両手の小指を食い切り、二人の若衆それぞれに与えるのです。これもまた「心中」でありますが、しかし、いささか誇張が過ぎるようにも思われます。

武士の綺羅（きら）

このように見てくると、なんとも血なまぐさい世界と感じられますが、一方で武士には「綺羅（きら）」の側面があることを忘れてはいけません。これは、『男色大鑑』研究の第一人者である染谷智幸氏が繰り返し説かれてきたことです[5]。「綺羅」とは、第一には華やかで美しい装いを指す言葉ですが、それに加えて、清らかな美という面もあるように思われます。

山本常朝によると、聞き書きの五、六〇年前（つまり一六五〇～六〇年頃）の武士は、毎朝行水をし、月代（さかやき）や髪に香をとどめ、手足の爪を切って軽石にてこすり、こがね草にて磨くなどして（！）、清潔に身だしなみを整えていたそうです（と言うことは、『葉隠』が記された享保（きょうほう）の頃の武士は、そうではなかったのでしょうか……ともあれ、毎朝爪を磨くのはなかなかの伊達（だて）男です）[6]。手足だけではありませ

---

4 氏家（うじいえ）（一九九五）をぜひご参照ください。

5 詳細な『男色大鑑』研究は染谷（二〇〇五）を、「綺羅」については染谷（二〇一四）をご覧ください。

6 まったくの余談でありますが、本解説冒頭で映画『ブエノスアイレス』に触れたので、それとのつながりでもう一つ『欲望の翼』（やはりウォン・カーウァイ監督作、一九九〇年公開）のラスト・シーンについて。トニー・レオン扮（ふん）するプロのギャンブラーが、天井の低い屋根裏で身支度を調える仕草（しぐさ）が丹念に描かれます。スーツに身を包み、紫煙をくゆらすこの男は、念入りに爪を磨いてから、煙草とトランプをポケットに押し込むと、おもむろに札束を数え、ポケットチーフを胸に飾り、ポマードの光る髪に櫛（くし）を入れて、仕事場（カジノ）にくり出していきます。ギャンブラーであるからこそ、指先まで美しく滑らかにしておく必要があったのでしょう（マジシャンのごとく）。でも、爪を磨く仕草は、死地に赴（おもむ）く前に「綺羅」で身を固める武士の色香と、どこか重なるようにも思われるのです。

ん。武具には錆を付けず、埃を払い、磨き立てて置くべきなのだとのこと。これは、お洒落のためではなくて、いつ命を落とすことになっても、敵にぶざまな姿を見せないで済むようにとの覚悟からだと常朝は説明を続けます。単に身を飾るのではなくて、やはり死の覚悟の一部というわけです。

実は『男色大鑑』には、これぞ武士の「綺羅」といえる描写が出てきます。それは、「玉章は鱸に通はす」の甚之介で、死地に臨んで「浮世の着おさめとてはなやかに」(この世で身にまとう衣装はこれが最後だからと言って、華やかに)装います。白い肌着の上にまとうのは、浅黄(緑がかったペールブルー)の大振袖で、しかも腰のあたりだけ紫に染め分けてあり、その上に五色の糸で糸桜の刺繍が施されています。裏地は贅沢にも艶やかな紅で染めてあります(色っぽいですね)。帯はシックに鼠色でまとめ、名刀で知られる佐賀の忠吉の刀と、同じブランドの脇差の二本を差して、いよいよ出来上がりです。中間色を巧みに取り合わせていくという色味の選択も、糸桜という繊細で儚い図柄も、硝子の心を持つ甚之介らしい意匠ですね。しかも五色の糸で縫うという凝りようで、かなりの贅沢品です。名刀の二本差しといい、実にため息の出るほどに麗しい若衆の出で立ちではありませんか。武家若衆の美の結晶がここにあります。

若衆の「針」

大振袖も、紅で染めた裏地も、乙女を思わせる衣装ではありますが(もっとも振袖が乙女のものというのは後の時代の感覚で、元来は若衆の衣装ですが）、どれほど華やかで艶っぽい出で立ちであっても、心はやはり若衆であり、乙女とは異なります。それを西鶴は「若衆は針ありながら初梅にひとしく」と表現しました。[7] 若衆の「針」こそが、「この道」の最大の魅力というわけです。念契を結んだ二人の関係性は、一般的に考えるなら、大人の男のほうが経験値も高く、武芸にも秀でており、未成年の男の子に対して、庇護者、あるいは、指導者として余裕の振る舞いを見せることが予想されます。巻二の三「夢路の月代」の丸尾勘右衛門などが、まず思い浮かぶところです。彼は、若衆を口説く手練れであり、若衆を肩車にのせ、金平人形をプレゼントして、チャンバラごっこをして遊んであげたほか、夜になって、兄分に馬乗りになって遊ぶ若衆を「よい大将だ」と褒めそやすのです。まるでわんぱくな息子をあやす父親か、年の離れた弟と遊ぶ兄のようです。

しかし、誰もが勘右衛門のように若衆を手なずけることができるとは限りません。むしろ、年長者である兄分を凌ぐような、そして時として兄分を従えるような心根の強さを持つ若衆が次々と登場します。「傘持てもぬるる身」の長坂小輪、「嬲ころする袖の雪」の山脇笹之助、「色に見籠

---

7 「女色を止めて男色を目指せ、諸君」と意気軒昂に男色万歳を唱える文脈ですので、女性に批判的な言葉と対になっています。「花は咲きながら、藤づるのねじれたるがごとし」（女の場合、華やかな美しさがあったとしても、あたかも藤蔓がねじれているようなもので、性格はひねくれている）。乙女を相手にする場合にも、実際のところは苦労が絶えなかったのでしょうか。

は山吹の盛」の奥川主馬など、いずれの若衆も死を恐れない（つまり何ものをも恐れない）胆力を見せつけ、若衆としての命をまっとうします（奥川主馬の場合、理解ある殿によって助命されますが、「丸袖」を賜るということは元服するということ、つまり、若衆としては「終焉」を迎えるのです）。そのなかでも、やはり最も強い印象を人々に与えるのは、なんと言っても長坂小輪でしょう。強い心根ゆえに最期まで殿を挑発し続け、左手、右手、そして首と、次々斬り落とされていくシーンは、あたかも歌舞伎の舞台を見るようであり、まさに「嗜虐の味」ともいうべきものです。[8] この「無惨編」の華は、小輪に極まると言ってよいでしょう。

おまけ…「衆道」で読む古典

あらゆる文学作品をＢＬに置き換えて解釈するのが好きな女子の話を筆者は最近（コミカライズ解説執筆当時）耳にしました（実際ははるか昔から存在していたわけですが）。これは、西鶴が『男色大鑑』の序文、および、巻一の一で行っていることと不思議とよく似ているように思われます。『日本書紀』、在原業平、兼好法師と、いずれの古典をも「衆道」で読むということを西鶴は試みているのです。それは、パロディのおかしみをもたらすと同時に、古典の力を借りての衆道の権威付けともなっています。ＢＬの勢いは今やとどまるところを知りません。〈ＢＬで読む古典〉シリーズの登場も近いのではないかと夢想したところで、ひとまず筆を擱くことにいたしましょう。[9]

［補記］

・コミカライズの解説では、このあと補足情報として文献紹介を行っているが、本書ではここには掲載せず、巻末の文献一覧に統合した。

・この解説で述べたことの根拠となる論文は、改稿の上、本書Ⅰ第2章第3節に収めている。

8 「嗜虐の味」とは、国立劇場歌舞伎鑑賞教室「卅三間堂棟由来」の劇評から（児玉竜一早稲田大学教授、朝日新聞、二〇一六年七月一四日夕刊）。柳の精が斧で腕を切り落とされるさまは、小輪の最期を思わせます。

9 この解説を執筆してから二年後（歴史秘話ヒストリア「生きた、愛した、ありのまま」放映から約半年後）に左右社からBL古典セレクションのシリーズが刊行となりました。もちろん、直接の因果関係はないかもしれませんし、〈BLで読む古典〉というより〈BL化した古典〉かもしれませんが、ともかく〈BL〉と〈古典〉を冠するシリーズが登場してきたことは確かです。

第3節　『全訳　男色大鑑』の方法

1　はじめに

第3節では、『全訳　男色大鑑』を編集するなかで得られたさまざまな気づきと、それを生かした現代語訳の実践方法について、具体的な事例（主に筆者自身の担当部分）に即して紹介していく。なお、煩雑さを避けるため、単に〈武士編〉〈歌舞伎若衆編〉と略称する。

2　〈武士編〉について

本の体裁の特徴としては、ビジュアルに訴えかける要素を強めたということが、第一に挙げられる（尾形光琳『紅白梅図屏風』と大竹直子氏のイラストを組み合わせた表紙〈本書41ページ参照〉、漫画家五名によるカラー口絵やモノクロ挿絵、若衆人形の写真を用いた髪型解説のカラーページなど）。これは、コミカライズによって掘り起こされた読者の関心や、作品を取り巻く熱気を受け継ぐということに加えて、ビジュアライズすることで鮮明となる作品解釈の可能性を、意識的に取り込んでいきたいと考えた編者の姿勢の表れでもある。

現代語訳に、巻頭言、解説二本、あとがきが添えられている。巻頭言「初めての古典が『男色大鑑』でもいいんじゃないか」（筆者担当）での基本的な主張は、本書執筆の動機と一貫している。解説は、編者が一つずつ担当した（筆者の「マルチOS西鶴の『男色大鑑』」と、染谷氏の「男色の楽しみと衆道の歴史」）。「マルチOS西鶴の『男色大鑑』」は、作者とその文章、および、作品内容について解説したものである。「マルチOS」という言葉が、奇を衒ったように見えるかもしれない。ある時、現代語訳するなかで感じたもどかしさについて、「パソコンに例えるなら、表面上で動いているオペレーション・システム（OS）の奥に、また、別のOSが動いているような感じ」と喩えたら、ICT技術に詳しい知人が、それは「マルチOSですね！」と教示してくれたので、その語を借りたのである。

以下、〈武士編〉から二つの章を具体的に取り上げて、現代語訳の実践方法を詳しく述べていきたい。

（1）巻一の二「此道にいろはにほへと」
入門編としての位置づけ

『男色大鑑』には、序文がありながら、なお、序章的性格を持つ巻一の一が備わっており、物語性の強い話に入るまでに比較的長めの〈助走〉期間が用意されている。巻一の一では、浅草に隠遁する架空の語り手が造型されていて、滔々と男色と女色の比較考察を述べ立てていくが、章末で難波での執筆がさりげなくほのめかされており、西鶴自身の姿が透けて見えてくるような章といえる。また、序文の延長上にある。それが巻一の三に至ると、簡潔な女色批判の導入部に続けて、すぐに登場人物の紹介に入っていくようになり、物語としての語り方を採るようになる。この二つの章に挟まれた巻一の二は、喩えるなら巻一の一と一の三とを滑らかにつなぐ鎖の輪のような存在、二つの章の語り方を折衷的に取り入れた、橋渡し役を担う章といえる。

巻一の二の冒頭、一人称で語り出す男は、巻一の一での語り手とは異なって、「手習い屋の一道」という個性が与えられ、石川丈山[1]を連想させる賀茂山に隠棲していて、物語世界の住人のように思われる。ところが、九歳の少年二人に話の焦点が移ると、一道は視点人物の位置に後退し、やがて、その存在感をフェードアウトさせて、三人称の物語としての語り方で一話が終わっていく。近代的な小説観に強く感化を受けた論者からは、構造的に問題を抱えた章とだと批判されたこともある章だが（暉峻康隆氏による新編日本古典文学全集の頭注には「主題に一貫性のない失敗作」とある）、『男色大鑑』全体のなかでの位置づけを考えた場合には、巻一の一と一の三とを滑らか

1　石川丈山は、もとは徳川家康に仕えた武士。漢詩人として著名で、京都一乗寺に詩仙堂を建てて隠居した。

につなぐものとして、なかなかに巧みな設定と言えるのではないだろうか。そもそも失敗作をこれほど重要な位置に置くはずがない。

内容面でも、章題の「いろはにほへと」が示す通り、入門的な側面が強い。郷士(ごうし)の倅(せがれ)とはいえ、少年二人は武士の世界に属しており、一道は町人である。また、その一道が季節の移ろいを感じて懐かしく思い起こすのは、歌舞伎若衆の顔見せ狂言であり、少年二人に懸想(けそう)する老僧も登場する。武士、町人、役者、寺院と、多様な男色世界を圧縮して垣間(かいま)見せてくれる章ともなっているのである。章題は、手習い屋を示すと同時に、「此道(このみち)」＝「男色の道」を歩み始めた少年二人を指すものであるが、それだけでなく、この章が読者に対する『男色大鑑』入門ともなっていることを示すものと見ることもできるだろう。

現代語訳する場合、一人称から三人称への切り替えは、やや厄介である。語り方の方法が段階を経て切り替わっていくということが伝わるように、時間が切り替わる二カ所にそれぞれ一行入れることで、この切り替わりを示すように試みたが、結果的に無理なく読み進められるものになっているかについては、なお、読者の評価を待たなくてはならないだろう。

引きこもりの男

『男色大鑑』には隠遁者や浪人者が多く登場する。これは、男色に似合う設定なのであろうか。一道の場合も例外ではない。冒頭に注目すべき記述が出てくる。「角屋敷(かどやしき)ばかり六ヶ所(しょ)、大名借(だいみょうがし)

の手形迄、腹替の弟に譲り」（大通りの角という好立地の物件六つに、大名貸しという大口融資先まで、腹違いの弟に譲ってやった）「それがし女好めば、月鉾の町に歴歴の入縁あれども」（俺が女好きであったら、祇園祭に月鉾を出すような、れっきとした家柄の商家に婿入りしたはずなんだが）。大名相手の金融を担う名だたる町人の長男であるにもかかわらず、自分から相続を放棄して、別腹の弟に譲ったという。この「腹替り」とあえて断っている点が重要である。また、相続放棄の前か後かはわからないが、養子となって婿入りするという選択肢もかつて存在していたとわかる。ここから憶測たくましくするなら、一道は義母からなんらかの冷たい仕打ちを受けていたのではないかと思われるのだ。資産家へ後家に入った女性が、実の息子（次男）に財産を継がせようと画策し、一道は長男でありながら、疎外された存在だったのではないかと思われてくる。もちろんこれは憶測である。だが、一道という男が、元来の性質に加えて、義母の醜さに飽き飽きし、そこに女のあさましさを感じて女嫌いになったのかもしれない、という読みを誘い込む空白が残されていることは確かなことであろう。もし、この話を創作的な手法で語り直すとすれば、この義母の造型が鍵になってくるかもしれない。

（2）巻二の一「形見は二尺三寸」

絶望した若衆の視線――行灯と紙縒の意味――

この巻二の一は、編者二人で全面的に加筆した章である。なぜ加筆する必要が生じたかというと、現代語訳担当者の判断で、一話全体が、若衆勝弥の一人称（モノローグ）で語り直されていたためである。これは、理由のないことではない。冒頭の文章が勝弥の一人称であると受け止めることで、作品への理解が確実に深まる話となっているからである。そこを看破した担当者の着眼点は、どうにかして生かしたいと考えた。ただ、全体を勝弥の一人称でまとめようとすると、どうしても無理が生じてくる。というのは、勝弥の視点から外れた描写も出てくるためである（例えば、後に兄分となる源介の心理を投影した情景描写など）。そうした無理が生じないようにしながら一人称で統一しようとすると、矛盾の生じそうな文言を片っ端から削除する以外に方法がない。ところがこれを徹底させると、旨味成分を捨て去ったも同然で、味の薄い訳文となってしまうのである。それは、いかにももったいないということから、全体を再編集することになった。

この編集過程で、冒頭の文章が極めて重要な意味を担っていることが改めて浮き彫りとなった。原文は次のようなものである。

世に遠州行灯ほどの事も、又出来まじき物ぞかし。又次郎といへる男、観世ごよりをはじめて、今重宝となれり。
捨たり行く反古さらへる中に、母の手して（以下略）

冒頭の「世に」は「実に、まったく」というぐらいのニュアンスの強調の副詞である。ちなみに、『井原西鶴集』②（新編日本古典文学全集）の現代語訳では、次のように訳されている。

> 遠州行灯のようなものでも、なかなか作りだせないものである。観世又次郎という男が、観世紙縒を作り始めて、今でも重宝している。
> その紙縒に使ういらなくなった反古を整理している中に、母親の筆跡で（以下略）

単語の意味も、文法的に把握した文意も、これで十分に把握できる訳文である。原文を理解するための補助的な役割を担う対訳の場合、なぜ遠州行灯（❶）の話が冒頭に置かれているのかというようなことまでを補って訳す必要はない。それは、読者の解釈に委ねればよい。だが、原文を伴わず、かつ、読み物として独立した面白さを求める『全訳　男色大鑑』では、次のように、もう少し踏み込んだ訳を行った。

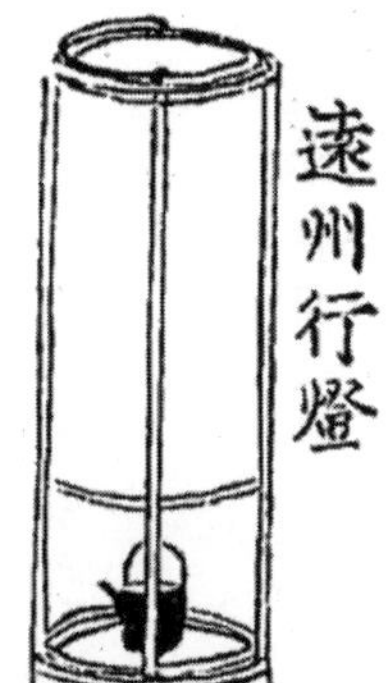

❶遠州行灯（『和漢三才図会』国立国会図書館デジタルコレクションより）

「まったくもう、遠州行灯のようなものでさえ、一から考案しようとすれば大変なものじゃないか。観世又次郎が考案したという観世紙縒だって、いまだに重宝されている。どんな道具にも役割があって、誰かに必要とされているのに、よりによって、どうして自分だけが……」などと考えながら、行灯の明かりを頼りに、紙縒にするしかなさそうな書き損じの紙の束を取り出して身辺整理をしていた勝弥（かつや）は、亡き母の遺（のこ）した手紙を見つけたのであった。

もはや現代語訳というより、創作に近いかもしれない。原文にない言葉を相当に補って語り直している。なぜ、このような訳を付けたのか。それは、行灯（あんどん）と紙縒（こより）という二つの品が、勝弥の絶望と嫉妬を投影するものであると見て取ったからである。この時、勝弥がどのような状況に追い込まれていたのか、この後の叙述で次第に明らかとなる。簡単にまとめると次のようなものだ。

上野黒門前で美貌（びぼう）を見初められ、小姓に取り立てられた勝弥は、殿の愛情を独占し、飛ぶ鳥を落とす勢いでわがままに振る舞ってきた。だが、四年の歳月が過ぎ、若衆としての旬も過ぎた一八歳の勝弥は、殿の寵愛がほかの若衆に移ったことで絶望の淵に立たされ、自分に残されているのは死のみと覚悟する。冒頭の場面は、自刃（じじん）前の勝弥の身辺整理で、書き損じや手紙の類いを取り出したところである。勝弥は、その手元を照らす行灯と紙縒に視線を向けながら、特段珍しくもないそんな品々でさえ、道具として立派に人の役に立っていることに思い至り、そのこと自体に嫉妬し、そして、自身の無力さに打ちのめされている。最初に置かれた副詞「世に」（実に）は、そうした勝弥のいらだちを受け止めた言葉なのだ。冒頭の文章を三人称としてではなく、勝弥の一人称（モノローグ）として読んだほうが効果的だと考える理由はここにある。ただ、それで全編を覆うと、次項に見るように、犠牲となる表現があまりに多くなる。このため、一人称は勝弥の心情吐露として引用する形にとどめることにした。

勝弥のモノローグに収まらない叙述

この話は、片岡源介（兄分）と中井勝弥（若衆）のいずれもが、互いを得たことで、再び人生に輝きを取り戻す姿を描いている。源介は、志半ばで病に倒れ、物乞いに身を落としていたところで勝弥にめぐり会う。勝弥は、自刃の覚悟を固めた時に偶然親の敵の存在を知り、敵討ちの旅に出たところで源介と再会する。どちらも挫折を経た後に再会を果たしており、互いの心の欠落を補い合うかのように、関係を築いていく。よって、どちらか一人のモノローグで語るよりも、双方の姿を客観視する語り口のほうが、よく馴染む話といえるだろう。勝弥のモノローグに収まらない場面というのはさまざまあるが、例えば次に見るように、勝弥が河原を歩く場面もその一つである。

京の町で偶然、源介に再会した勝弥は、夜、河原に赴き、源介の姿を探す。そこに、博打を打つ男たちの声が描き込まれている。原文では次のような表現である（傍線引用者）。

苫かり葺きの片びさしの内に、松火あかして、声ひそめ、「引き四九高目の祝ひ」と物なげる音、何の事かは知らず。

「何の事かは知らず」という言葉は、素直に読むなら、語り手が、賭博と知りつつわざとぼけた言葉として受け取れる。このおかしみをそのまま訳す手もあったろう。が、次のように、あえて、この音を耳にしている勝弥の存在を意識した訳にした。

「引目（低い数）四、高目（高い数）九、勝ったぜ」と、サイコロをふっている音がするが、さては博打か。もちろん、勝弥にはわからない。

語り手が持つ大人の感覚を、勝弥がまだ身につけていないと示すことで、勝弥の無垢な側面を強調した形である。現代語訳としての範囲をやや超えた訳であったかもしれない。

また、源介と勝弥が添い寝をした河原で、白々と夜が明けていく情景というのは、一話全体のなかで最も美しさの際立つ場面であるが、これも、源介の視線で捉えてこそ、引き立つものとなる（勝弥は熟睡中であるから、この情景を見ていない）。

源介の人物造型は、卞和（両足を失うほどの苦難を味わいながら、ついに宝玉の価値を認める皇帝に出会えた男）や寗戚（牛の角をたたきながら意気高く歌い、有望な人物として春秋時代の斉国の桓公に見いだされた男）などの中国故事への言及や、謡曲『船弁慶』の一節を易々と謡う様子、笙の舌（リード）の材質に関する知識、『伊勢物語』の引用等々から、教養豊かな男であるとわかる仕掛けになっている（外見については、物乞いになどなりそうもない「大男」とある。十分であろう）。さらに、河原まではるばる訪ねてきた勝弥に対し、自身の姿を恥じることなく、「奇特のお尋ねにあづかる（おや。珍しいお尋ねでございますな）」とおどけてみせるような、余裕ある大人の男である。こうした造型は、若衆の心を捉える魅力的な男として欠かせないものであろう。

だが、そのように成熟した男・源介にも、やはり人間くさい一面はあって、それがほのめかされているのが「心の塵」という言葉である。今宵一夜は語り明かそうと、源介の膝を枕に勝弥が横たわった時の、源介の描写が印象的である。原文では、次のように端的な表現で語られている。

> この時のうれしさ、衆道の事は外になりて、長屋住居の東の事をおもひ出し、心の塵を払ひ（以下略）

源介は、いとしい人が膝に寄り添った瞬間に、生身の男として「心の塵」が湧き起こりそうだと自覚したのである。この秀逸な表現を訳文にも残したくて、次のように訳した。

> 源介にしてみれば、こんな嬉しいことはない。衆道の契りのことはなしにしようと心に決め、江戸での長屋住まいのことなど思い出話に夢中になることで「心の塵」（抑えがたい衝動）を払い（以下略）

あえて「衝動」とのみ訳し、「性衝動」と訳さなかったのは、そこまで特定しなくとも、本書を手に取る読者には十分に伝わると考えたためである。

さて、この源介の涙ぐましい努力があるからこそ、陸奥（源介の故郷）の香り漂う古歌を引用した添い寝の描写の優しさや、一睡もせずに夜明けを迎えた男の目に映る、ほのぼのと明け行く空の美しさが際立つことになる。原文では、古歌を響かせつつ、次のように美しく文章が紡がれていく。

十府のすがごも七婦には、君の御寝姿を見て、夢もむすばず、都の富士に横雲の立ちしらみ、黒谷の鐘もつげて、高瀬さす人顔も見えて、あかぬ別れとなる時（以下略）

これを次のように訳した。

「みちのくの十ふの菅薦七ふには君を寝させて三ふに我ねむ（編み目が十筋ある陸奥の菅薦の上で、七筋分には君を寝させて、僕は三筋だけにして添い寝しよう）」の歌さながらに、いとしい君の寝姿を見ながら添い寝をしたのである。一睡もせずにいると、やがて比叡山に横雲がかかって空が白んでいき、黒谷（青竜寺）の鐘の音が響き渡って、高瀬舟に棹さす人の顔も白々と見

えてきた。名残惜しく別れる時になって（以下略）

古歌の部分は、脚注ではなく括弧書きで意味を補う形とした。一人分の幅しかない粗末なむしろの半分以上をいとしい人に使わせて、自分は半身で寄り添うという姿に、深い愛情が表れている。しかも、それが「心の塵」を払いながらの、夜を徹しての姿であったところが重要だ。情景描写もあいまって、その美しさが際立つことになる。もし、勝弥の一人称で統一を図っていたなら、この描写は生きてはこない。

この話には、美貌に慢心した若衆の凋落と再生、その若衆に武士の魂とも言える刀を預け、影身に添って（当人のあずかり知らぬところで）数カ月かけて見守り続けた兄分の一途な愛情、敵討ちの成就と息を呑む脱出劇などが詰め込まれていて、ドラマとしての興趣に富む。実写（あるいはアニメ）などの二時間ドラマに仕立てたら、さぞ見応えがあるに違いない。脚本の題材を探している方々に強くお勧めしたい。

なお、『男色大鑑』の作品構成のなかに本話を位置づけるなら、若衆として美しさを極めた姿で命を絶つことを選んだ長坂小輪（巻二の二）の話の直前に置かれているということが、やはり重要であろう。小輪は、薹が立った（旬を過ぎた）勝弥のように殿に飽きられ、若衆の季節の終焉を迎えていくことを拒否したのだと読めるからである。▼2 ちなみにこの一話は、ほかの話よりも長く（短い章のほぼ倍、全巻の中で最長）、また、巻二の初めに置いたということからも、西鶴がかなり力を入れて書いた話なのではないかと推測される。

3 〈歌舞伎若衆編〉について

続けて、〈武士編〉刊行からほぼ一年後に刊行となった〈歌舞伎若衆編〉について見ていきたい。

編集上、まず問題となったことは、〈歌舞伎若衆編〉を構成する巻五〜八が、〈武士編〉を構成する巻一〜四とは異なり、物語の展開そのものの魅力で読者を惹きつけるという構成にはなっていないということである。実在の役者をめぐるエピソードを通じて、その役者の個性に触れるところが、後半部の魅力なのであるが、現代の読者がそれに気づけるようにするには、やはり、なんらかの仕掛けが必要であった。編集会議に漫画家の大竹直子氏、あんどうれい氏にも加わっていただき、アイデアやヒントを求め続けた。

そして、〈武士編〉と同様の構成要素（巻頭言、解説二本、あとがき）に加えて、〈武士編〉にはない新たな要素が加わることになった。それは、歌舞伎若衆の個性を端的に現代の読者に伝えるための仕掛け・工夫である。年表、用語解説、舞台図、地図などの資料を充実させたことも、〈武士編〉にはない新たな工夫である。

（1）キャラクターの個性を際立たせるための仕掛け

〈推し〉を偏愛する感覚との共通性

〈歌舞伎若衆編〉の帯には「推しの尊みが過ぎる」という文字が躍っている。〈推し〉〈推しが尊い〉など、SNSなどで共有されている俗語表現である。だが、俗語とはいえ、〈推し〉という言葉の認知度は急速に高まっていて、現代の人々のエンターテインメントの享受の仕方や消費行動に深く影響を及ぼすキーワードとして外せないものになっていると思われる。実は、西鶴が歌舞伎若衆にのめり込んだ感覚が、まさにこの〈推し〉を偏愛する現代の人々の感覚に、奇しくも相通ずるものであるように、我々編者には思われた。だとすれば、〈歌舞伎若衆編〉に登場する若衆たちのなかに、読者自ら〈推し〉を見いだすことができれば、愛着を持って、読み進めることができるのではないか。このような発想から、読者が自らの〈推し〉に早く出会えるようにするためのツールを、付け加えることにした。

2　「薹が立った」という形容表現からは、悲哀しか浮かばないかもしれないが、実のところ、若衆の季節の終焉には、哀感だけでなく、独特の美感が伴うと西鶴は見ていたように思われる。巻一の一では、元服目前であることを示す髪型「角前髪」（額の生え際を剃り込んで、額を角張らせた髪）の若衆が、地味な衣装に身を包み、昔もらった恋文を見ている姿が印象深く点描される。大人の男へと変貌を遂げる直前の、若衆でいられる瀬戸際の時間の緊張感が、独特の魅力を放っている。勝弥の美は、咲きかけの花のような美しさとはまた趣を異にしていたことだろう。

若衆チャート

雑誌などでよく見かける分析チャート（ＹＥＳ／ＮＯクエスチョンを順にたどっていくと、自然と自分自身の好みや特徴が判明する仕掛け）を用いて、読者が、好みのタイプの若衆に出会えるようにする、というアイデアが最初に浮かんだ。最終的に出来上がったものを見ると（❷）、当初のアイデアがそのまま実現したかのように見えるかもしれないが、実際には、完成にこぎ着けるまで試行(しこう)錯誤(さくご)の過程があった。そして実は、この過程自体が、アダプテーションの立ち上がる瞬間であることに、後から気づいたのである。

　ここで参照先として浮かんできたのが、商業ＢＬを好む人々の消費行動の特徴である。手当たり次第に読むというより、自身の好みの属性が登場するか、事前に確認してから購入に至るケースが多いという。そこで編者二人は、商業ＢＬにおけるキャラクター属性や物語の展開パターンにどのようなものがあるか、実際に漫画家の先生方からレクチャーを受けながら、編集の戦略を練ってみるということを考えついた。

　「ワンコ攻め」（飼い主だけを見つめ続ける犬のごとく「受け」に従順な「攻め」）、「メリバ」（オープンエンドで幸と不幸が読者の手に委(ゆだ)ねられている）等々、次々とキーワードを教わるものの、〈歌舞伎若衆編〉との接点が今一つ見つからない。喩(たと)えるなら、絡まった毛糸の一方の端に歌舞伎若衆らを、もう一方の端に現代の読者が好む属性を置くような感覚である。それはどうやっても一本の糸でつながるようなものではなかった。そうした編集上の悩みを、また別の機会に漫画家の紗久(さく)

楽さわ先生にご相談してみたところ、現代の「商業BLにおけるキャラクター属性や物語の展開パターン」に『男色大鑑』を落とし込もうと思っても、それはどうやっても無理だと思います、という至極まっとうなご指摘をいただいた。発想の組み立てそのものがまずいということに、その時、改めて気づかされたのである。そこで、「商業BLにおけるキャラクター属性や物語の展開パターン」のことはひとまず忘れることにし、後半部二〇話に登場する若衆のなかで、いずれの若衆を〈推し〉にするか、その際にどのような特徴を〈推す〉のか、編者二人で綿密に議論を重ね、一〇名の若衆に絞り込んで、その特徴をわかりやすく言語化することに集中したのである。言語化の過程において、漫画家の先生方や若衆文化研究会の方々にも協力を仰ぎ、短い表現のなかで、端的にその若衆の特徴をつかまえる（しかも、現代の読者がイメージしやすい言葉でつかまえる）ことを試みていった。そして、その若衆の特徴から逆算する形で、YES／NOクエスチョンを用意していった。

この一連の流れが、実は、アダプテーションで起こりうることの圧縮版となっていたのである。つまり、アダプトさせる対象のもとへと題材を連れ出そうとする時、最初に行うべきことは、題材の徹底分析だということである。アダプトさせる対象の側から、題材にアプローチするのではなく、あくまでも題材の持つ諸特徴を徹底的に分析し、言語化して、その上で、その言語化の細部において、アダプトさせる対象に通じる表現を選び抜いていくのである。一足飛びにアダプトさせることはできないが、題材を丹念に把握したその先において、アダプトへの多様な可能性が

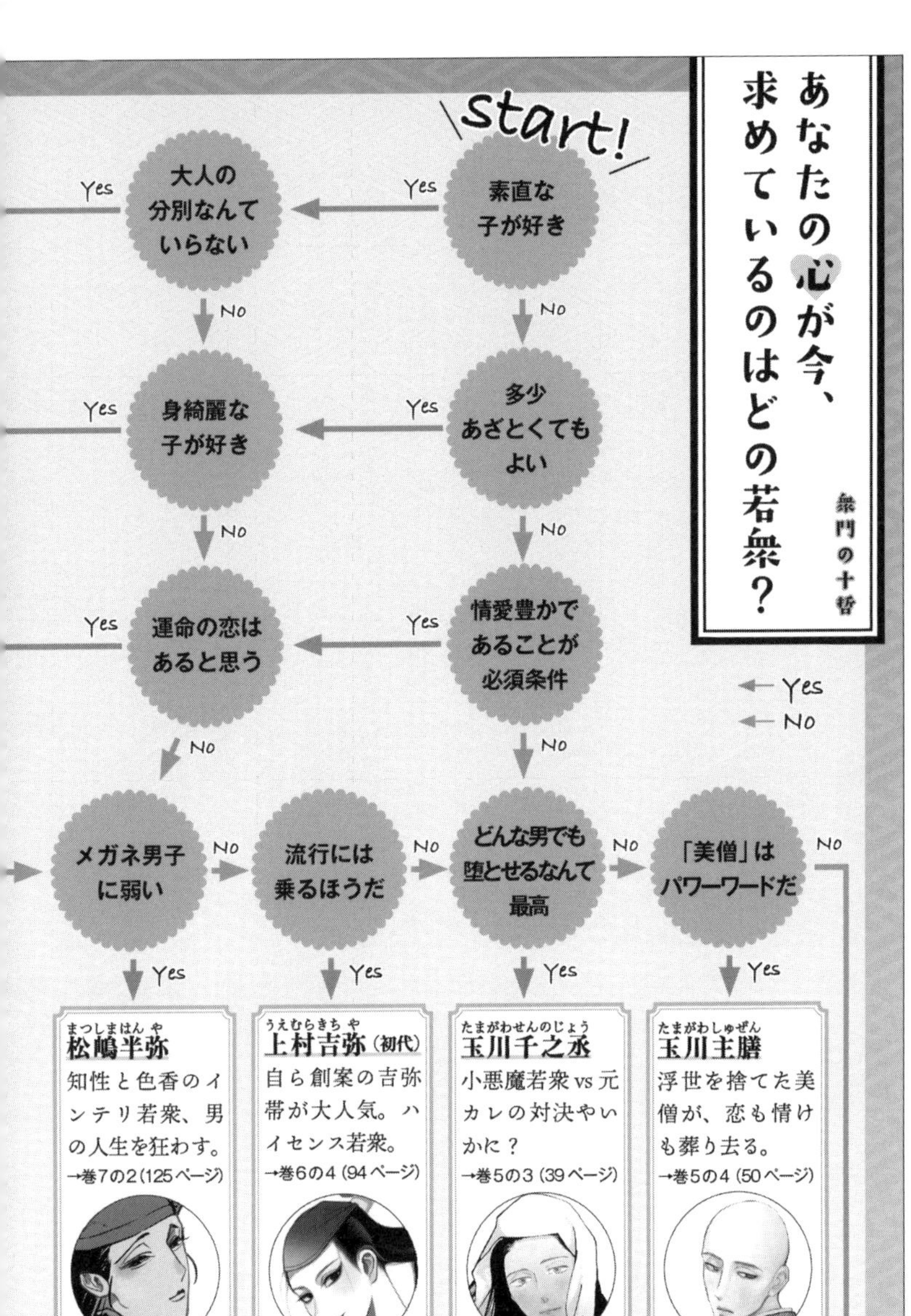
あなたの心が今、
求めているのはどの若衆?
衆門の十哲
start!
素直な子が好き
大人の分別なんていらない
多少あざとくてもよい
身綺麗な子が好き
情愛豊かであることが必須条件
運命の恋はあると思う
← Yes
← No
メガネ男子に弱い
流行には乗るほうだ
どんな男でも堕とせるなんて最高
「美僧」はパワーワードだ
Yes
No
松嶋半弥
知性と色香のインテリ若衆、男の人生を狂わす。
→巻7の2(125ページ)
上村吉弥(初代)
自ら創案の吉弥帯が大人気。ハイセンス若衆。
→巻6の4(94ページ)
玉川千之丞
小悪魔若衆vs元カレの対決やいかに?
→巻5の3(39ページ)
玉川主膳
浮世を捨てた美僧が、恋も情けも葬り去る。
→巻5の4(50ページ)

性格のキツさに痺れたい → Yes

上村辰弥（うえむらたつや）

客の戯れ言に親指さえ落とす。気の強さが西鶴好み。

→巻8の4（199ページ）

↓ No

守られるよりも守りたい → Yes

岡田左馬之助（おかださまのすけ）

愛されキャラも自己演出しちゃう、入れ墨のないツルツル男子。

→巻7の5（154ページ）

↓ No

女より色っぽい「男の娘」が好きだ → Yes

小桜千之助（こざくらせんのすけ）

「演ずる恋」の巧者が「真実の恋」に目覚めた。尊すぎる美少年。

→巻6の2（77ページ）

↓ No

一途な恋に身を焦がしたい → Yes

藤村初太夫（ふじむらはつだゆう）

運命の相手に尽くす一途な若衆。

→巻5の1（16ページ）

↓ No

美少年は死ぬべき → Yes

鈴木平八（すずきへいはち）

舞台に上がれば皆が酔う。憑依体質の夢見がち男子。

→巻6の5（102ページ）

↓ No

ハッピーエンドが好き → Yes

玉村吉弥（たまむらきちや）

月代×月代。一途な兄分に巡り会えたラッキーボーイ。

→巻5の5（58ページ）

↓ No

❷若衆チャート（元来はカラー刷りのもの）

開かれていく、ということである。

なお、このチャートのタイトルに「あなたの心が今、求めているのはどの若衆?」としたのは、一回のみではなく何回でもこのチャートを開いてほしい、その日の感覚で選ぶ矢印も変わるであろうから、その都度、異なる若衆のところに導かれて新たな出会いがあるように、との願いを込めてのことである。ただ実際には、最も奥まったところに位置する玉村吉弥（たまむらきちや）へとたどり着く人はごくわずかで、設計上の難点がないとはいえない。ちなみに、素直な性質の人がごく自然と上村辰弥（うえむらたつや）へと吸い込まれていくのは、これはあえてそのように設計したものである。辰弥は西鶴の〈推し〉だと見立ててのことである。

若衆グラフ

若衆チャートが見開きのカラー刷りで目立つのに対し、こちらは一ページのモノクロで地味であるから、チャートほどのインパクトはないかもしれないが、やはり入れておきたかったものである（❸）。喩（たと）えるなら、ワインリストに添えられた味わいの座標図のようなものである。横軸に甘口と辛口を置いて、甘え上手な優しい気性と気の強い激しい気性を対比させ、縦軸に純真無垢（じゅんしんむく）と手練（てだ）れを配置した。漫画家五名に挿絵をお願いした一〇名の若衆に絞り、それぞれの個性を視覚的に把握しやすくする狙いである。当初の案ではセリフまでは付いてなかったが、『全訳　男色大鑑』校正担当の坂東実子氏の助言により、個性がより浮き彫りとなるようにセリフを足した。

若衆10人のキャラ分析グラフ

純真無垢

漢(おとこ)なら親指だって切るさ
→ 199 ページ

西鶴イチ推し♥

小桜千之助

鈴木平八

藤村初太夫

上村辰弥

初めて恋を知りました
→ 77 ページ

あの娘に憑り殺される！
→ 102 ページ

兄様だけをお慕いします
→ 16 ページ

玉川主膳

もう恋は忘れました
→ 50 ページ

マイブランドを持っています
→ 94 ページ

振袖姿をお見せしようか
→ 58 ページ

甘口

上村吉弥

玉村吉弥

辛口

ぼく、涙もろくって…
→ 154 ページ

凍えた手足を温めてあげたい
→ 39 ページ

この脇差が私の形見です
→ 125 ページ

岡田左馬之助

玉川千之丞

松嶋半弥

手練れ

西鶴の〈推し〉である辰弥が「純真無垢(じゅんしんむく)」で「辛口」の極まった地点にいると見立て、ほかの若衆を配置していった。全体の傾向としては、西鶴好みの「純真無垢」への偏(かたよ)りがあるものの、辰弥の対極に位置するような岡田左馬之助(おかださまのすけ)とも西鶴は交友関係を築いており、そのバランス感覚をうかがわせている。読者がまず若衆チャートで自身の〈推し〉を見つけ、次にその〈推し〉がほかの若衆に比べてどのような存在であるのか、このグラフで確かめるという使い方を意識して作成したものである。

(2) 巻七の一「蛍(ほたる)も夜(よる)は勤免(つとめ)の尻(しり)」

夜の色町のルポ

工夫の第一は、あらすじにある。『井原西鶴集』②(新編日本古典文学全集)では、藤村半太夫(ふじむらはんだゆう)をめぐる物語と捉えてのあらすじが付されているが、そのようにまとめると、そこに含まれない記述(宴席でなぶり者にされる男の悲哀、歌舞伎若衆の苦労など)が本筋から外れた、付け足しのものであるかのように見えてしまう。だが、付け足しにしては分量が多過ぎる(半太夫をめぐる物語とほぼ同分量)。そこで、本話の趣旨を夜の色町のルポとして捉(とら)え直し、その一側面として半太夫のエピソードを落とし込むような形であらすじを構成した。次に引用する。

《あらすじ》

色町で豪遊する客は、仮初めの恋と知りつつ歌舞伎若衆の手管にのぼせ上がる。特に村山座の花形、吉田伊織と藤村半太夫の二人は別格である。

色町に欠かせないのが、宴席を盛り立てる太鼓持ちだ。自尊心を捨てて愚鈍を装い、人を笑わせて稼ぐ。実は、若衆の仕事も苦労が多い。毎夜、身も心も削って客に尽くす。

そして、若衆を買うなど夢のまた夢、人知れずそっと身を焦がすような者まで惹き寄せるのがこの色町である。ある夜更け、半太夫のいる座敷に蛍が一匹、また、一匹と放たれて……。「四条の色町」と呼ばれた宮川町、石垣町界隈の夜の情景をルポ感覚で描き出した一章。

性愛描写と訳文の品位

『男色大鑑』全編のなかでも、この章だけは、やや露骨な男色の性愛描写を含んだ話となっている。このため、全訳に当たっては、言葉や表現を慎重に選び取る必要があった。覆い隠すことも、曖昧にぼやかすことも本意ではないが、そうかと言ってあまりに露骨な表現を書き連ねることで品位を下げるようなことも避けたい。こうした思いのせめぎ合いのなかで訳文を紡いでいった。例えば、次の一節など、訳文が定まるまでかなりの時間を要したところである。

銀が敵と、是非もなく自由させながら、ひみつのすまたを持てまいり

「それもこれも金が敵(かたき)(金銭を得るための苦労)」と心に思い、仕方なく自由にさせておきながら、ここぞという場面で秘伝の素股(すまた)をお見舞い申し上げる。

最も苦慮したのが「持てまいり」の語感をどう訳文に取り込むかということである。現代語訳の地の文に敬語表現を入れると、どうしても違和感が生じる。とはいえ、この謙譲表現に込められた痛烈な皮肉のニュアンスが、まったく伝わらないというのも残念極まりない。なんとかならないか。あたかも「殴って差し上げる」とでも言うような、痛烈な一撃を慇懃(いんぎん)無礼さで包み込んだような言葉はないか。このように考え続けて絞り出した訳文である。ただ、この謙譲表現にこだわる一方で、あえて「素股」には注は付けなかった。これは、現代のBLでも使われている日本語だからである。

泊まる男——挿(さ)し替(か)わる花の意味——

本話後半は、章題ともなっている蛍をめぐるエピソードからなる。藤村半太夫に憧れ、蛍を飛ばすことで恋い焦(こ)がれる思いを伝えようとする法師は、哀れにも生け垣を踏み外して転落死し、これが仏縁となって、半太夫は出家する。夜な夜な夢で法師に会うのだと半太夫が語ると、それを聞いた人が疑いを持ち、「同(おな)じ枕(まくら)に庵室(あんじつ)にかりね」したところ、その法師の姿は見えなかったが、生け花は毎日変わっていたという。仄(ほの)かに怪異譚(かいいたんじ)仕立てで一話が締(し)めくくられている。特段、

❹ジュンク堂書店池袋本店でのトークイベントの様子（2018.12.25）

そこに特筆すべきことなど何もないと思ってこれまで読まれてきた話である。ところが、坂東実子氏と共に文学通信のオフィスに籠もって校正を進めていたある日、この末尾に、読み込むための空白が絶妙に用意されていたことに二人ほぼ同時に気づく瞬間が訪れたのである。それは、「同じ枕に庵室にかりね」したという表現に、わかりやすさのために「ある晩」という語を足そうとして、それが「生け花は毎日かはりたる」の「毎日」と矛盾すると気づいたからである。半太夫の言葉に疑いを持った人は、一晩だけではなく幾晩も半太夫と同じ部屋で、夜を明かしたということではないか。目録でも、「仏前の花誰かはさし替て」と、この花の入れ替わりの謎を強調してはいるが、実のところ、花が挿し替わっていたこと、それ自体が重要なのではなく、「花が挿し替わっていたことを毎日確かめ続けた」男がいるということ、つまりは、半太夫と夜な夜な共に過ごす男がいるということこそ、重要なのではないかと気づかされたのである。気づいたからといって、訳文にそうした情報が盛り込めるわけではなかったが、これも現代語訳を施すなかで得た副産物といえる。ここまでくると、「花を挿す」ことの比喩まで想像する読者も出てくるだろう。ぜひ、創作で解釈を展開していただきたい。

以上で述べてきたことは、ジュンク堂書店池袋本店でのトークイベント（❹）などで、現代語訳こぼれ話として披露してきたことであるが、ここで活字としても記録を残しておきたい（トークイベントの動画公開中。51ページにQRコードあり）。

第4節 〈雪月花〉の舞台が伝えたもの

演劇化の効能

1 はじめに

第4節では、『男色大鑑』本邦初の演劇化を機に浮かび上がってきた、作品の新たな側面について検討を加えていく。その際、「魂の片割れへの渇望」の系譜を伝えるものとして、〈雪月花〉というキーワードに着目する。

2 朗読芝居の上演

二〇一九年六月三〇日、朗読芝居「嬲り殺する袖の雪」が、画家・人形作家の甲秀樹氏の絵楽塾(デッサン教室)主催・若衆文化研究会協力のもと、新宿永谷ビルで上演された(昼の部と夜の部を合わせた観客動員数約一〇〇名、❶参照)。朗読芝居というのは、朗読と芝居の折衷様式で、朗読に

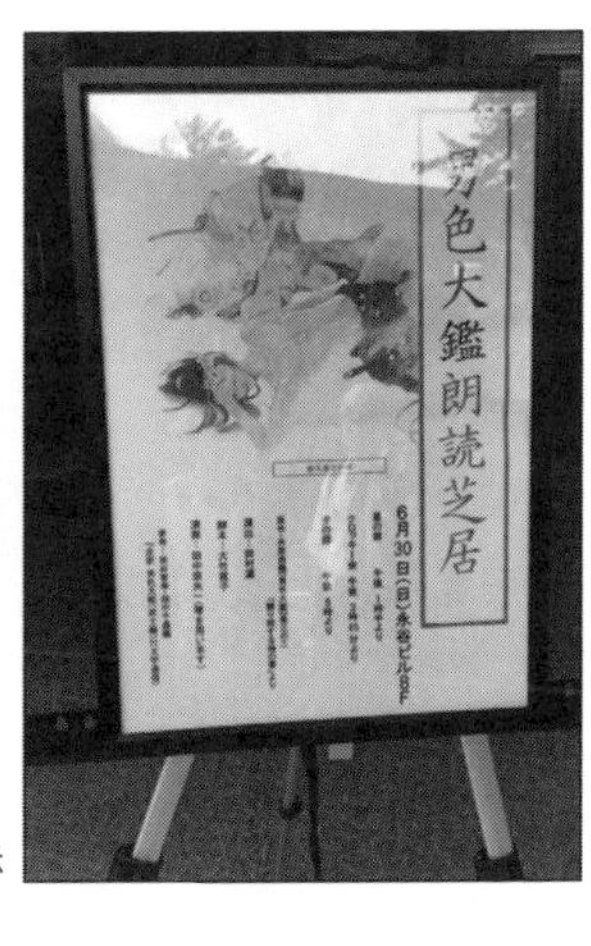

❶当日の案内表示

❷笹之助役の Tom 氏、舞台の四隅には行灯風照明器具（写真は絵楽塾提供）

よって進行するなかに、俳優による全身を用いての感情表現、ごくわずかなセリフなどの演技が織り交ぜられる形式である。箏でドビュッシーの「月の光」（ベルガマスク組曲第三曲）が奏でられるという和洋折衷、能舞台を思わせる正方形に、緋毛氈を敷いた舞台（約二メートル四方、高さ約三〇センチ）、それを仄かに照らす四隅の行灯風の照明、その周囲を観客が取り囲む座席配置、観客の鼻先をかすめるように通り過ぎる二人の俳優、能役者の所作を連想させる朗読者の演技などがあいまって、その演劇空間は、極めて独特なものに仕上がった（❷参照）。会場も、元来が多目的ルームであり、舞台として設計されたものではないため、客席と舞台とを物理的に隔てるものが一切なく、距離も極めて近い。無機質な近代建築のなかではあるが、結果的に江戸時代の芝居小屋のような濃密な空間が出来上がったといえる。脚本は漫画家の大竹直子氏、演出・朗読は田村連氏、企画、舞台は染谷智幸氏、箏の演奏は田中奈央一氏が担当。昼の部、夜の部の各回に、開始前トークの時間が三〇分ほど設けられた。登壇者は、甲秀樹氏、大竹直子氏、漫画家の紗久楽さわ氏、染谷智幸氏と筆者である。また、昼の部と夜の部の合間に、クロッキー会（一分〜五分でモデルを速写する集中特訓）も催され、企画としては盛りだくさんであった。

この上演は、『男色大鑑』のアダプテーションが新たなアダプテーションを呼び込んだ（つまり、コミカライズ、現代語訳を経て、新たに演劇化という局面を迎えた）という点で画期的であっただけでなく、西鶴の原作そのものの読み直しにも寄与するものとして、意義のあるものとなった。[1] 以下、この点を掘り下げていくことにする。

なお、この日のクロッキー会が盛況であったことを受けて、『男色大鑑』をコンセプトの核に据えたクロッキー会も後日開催され、世界観の演出やトークなどの面で若衆文化研究会も全面的にこれに協力した（二〇一九年八月一八日実施、於新宿永谷ビル、四〇名参加）。この時のクロッキー会でのトーク登壇者は、甲秀樹氏、大竹直子氏、染谷智幸氏と筆者である。

1　興味深いことに、脚本を執筆するに当たり、大竹直子氏は、西鶴本文（『井原西鶴集』②、新編日本古典文学全集）と、新現代語訳（『全訳　男色大鑑〈武士編〉』）と、コミカライズ（『男色大鑑　武士編』）を序列化することなく（つまり、西鶴本文に現代語訳やコミックスが従属するものとは捉えずに）、すべてのテクストを並列的に扱って、自身の脚本に生かしたという。研究者であれば、暗黙のうちに西鶴本文を特別な位置に据えるところだろう。創作者の柔軟な姿勢から、研究者とは異なるアプローチが生まれていく。

3 謡曲『松虫』を重ねる

朗読芝居のトークは、上演前の三〇分程度で実施した。劇への期待を高めると共に、背景となる知識を観客と共有するということが主な目的となる。各話者の持ち時間はごくわずかだが、観客の関心を引く話題提供が求められていたので、筆者の場合は、ただ一つの話題に集中することにした。それは、謡曲『松虫』を重ねた鑑賞法の提案ということである。

まず、この「嬲ころする袖の雪」を要約するなら、次のようになる。

伊賀の国守に小姓として仕えていた山脇笹之助は、殿の初雪の夢を吉相と見なして富士の絵を即座に掲げるような才気あふれる振る舞いで殿の寵を得ていたが、若年ゆえに江戸詰は免れていた。殿が江戸参勤中のある冬の日、追い鳥狩りで、笹之助のために雉子を放った伴葉右衛門と知り合い、念契を結ぶ。

時は流れ、桜が返り咲きした初冬の日、花見の酒宴で五十嵐市三郎という若衆の盃にしたたかに酔った葉右衛門は、その足で笹之助に会いに行く。誰が告げたか、嫉妬に胸を焦がして待ち受ける笹之助は、庭に葉右衛門一人を閉じ込め、雪が激しく降る中、刀の大小を奪い、衣服を脱がせ、能に登場する亡霊に見立てて葉右衛門を嬲り続けた。すると、葉右衛門は突如として絶命。驚いた笹之助は、駆け寄って即座に切腹した。笹之助の寝間には一夜の用意があり、その思いの深さに皆感じ入った。

雪が舞い散る庭に、葉右衛門を裸で立たせて「嬲」る場面で、笹之助は小鼓を打ちながら「あらありがたの御弔(とぶら)[2]ひや」と謡う。笹之助は、能の一場面を眼前に再現させたような感覚でいたことだろう。この文言は『松虫』のみならず『天鼓(てんこ)』『海士(あま)』など多くの謡曲で謡われる常套(じょうとう)句(く)である。よって、この文言(もんごん)のみを取って、『松虫』を下敷きにしたと断定することはできない。このため、トークイベントの段階では、『松虫』を典拠(てんきょ)(元ネタ)とは断定せず、あくまでも重ねて鑑賞することで生ずる魅力について語るにとどめた。『松虫』とは、次のような内容である。

摂津国阿倍野(せっつのくにあべの)の市で酒を売る男(ワキ)は、夜な夜な仲間と来て酒宴を開く若い男(シテ)のことが気になっていた。ある夜、酒を勧めると、この若い男が「松虫の音(ね)に友をしのぶ」との言葉を口にした。その謂(い)われを問うと、かつて、この阿倍野の松原を二人連れの男が通った際、一人が松虫の音を聞きに行ったまま絶命したのだと明かす。実は自分(シテ)は、その もう一人の男で、市人(いちびと)に姿を変え現れ出たのだと語って去る(間狂言(あいきょうげん)では、絶命した男を追って

2 西鶴本文と引用した謡曲『松虫』を対比させた場合、細かな文言の違いが見られる。例えば、「あら」か「ああら」か、「とむら」か「とぶら」か等。これは、西鶴が記憶しているテクストと、筆者が参照したテクストに微細な違いがあるということである。

もう一人も自害、二人一所の塚に埋葬したと語られる）。ワキが男を弔っていると、「あらありがたの御弔ひやな」と後ジテが登場し、同じ難波人であるワキに親しみを示しつつ、亡き友と過ごした楽しい風雅の時間に思いを馳せ、虫の音を味わいつつ舞い納める。

稚児を相手としてではなく、成人男性同士の深い思慕が描かれた能として、近年注目を集めた作品である。朗読芝居のトークでは、「能とBL」というイベントで『松虫』が取り上げられたことにも触れつつ、[3]「嬲ころする袖の雪」と『松虫』との類似性として、酒の関わる話であること、男同士の深い心の絆を描くこと（『松虫』に出てくる「死なば一所」の文言が「嬲りころする袖の雪」で実現していること）、亡霊のイメージが登場することの三点を挙げ、能楽の世界を下敷きとして鑑賞することで、奥行きが増す話であることを紹介した。実際に、上演に際して、大竹直子氏の脚本にある「〽あら　ありがたやの御弔ひやな」の文言が、朗読者の口からひときわ印象的に語られたほか、先述したように、能舞台に見立てた舞台配置や、能楽師を思わせる朗読者の所作などによって、本話に織り込まれていた能楽世界が、観客の眼前に明瞭に、しかもごく自然と立ち上がってくる舞台となった。トークでの話題提供と演出の方向性とは、結果としてよく馴染むものとなったのである。

4　〈雪月花〉の世界

朗読芝居「嬲り殺する袖の雪」が、能楽世界を強く印象づけるものとして演出されたことを受け、本話における能楽の扱われ方について、今一度、丹念に検証していく必要性が生じてきた。アダプテーションは、元になった作品（原典・原作）の含み持つものを増幅させ、目立たせるものとなるのである。そこで、本話で用いられている表現のなかに、能楽がどのように織り込まれているか、具体的な文言を検証していくことにする。

まず、笹之助自らの口で語られる文言として「ああありがたの御弔ひや」の一節は、極めて重要であろう。改めて、その典拠（元ネタ）について考えてみる。由井（一九九四）は、「謡曲に甚だ多い文句。ここは、一声の囃子で現れる「天鼓」後ジテ「荒有難の御弔ひやな」によるか」として、参照先として「胸に炬燵を仕出し」の項目を示している。そこで、この項目を参照すると、さらにもう一つ参照先があり、次条「むねにたく火は消すみになる」へと導かれる。これは連句集『虎渓の橋』に収められた西鶴の句で「身躰を夜の間の風にふかれたり」という江雲の句に付けたものである。これについて由井（一九九四）は「謡「天鼓」シテ「伝へきく孔子は鯉魚に別れ

3　二〇一六年八月一五日に銀座Book Café Bar 十誡で「能とBL――「男×男」の友情と愛情――」というトークイベントが開かれた。聖ヴァニラ学園のホームページには「第一部ではシテ（主人公）を務める能楽師の谷本健吾氏と能楽タイムズ編集部の山岸宏子さんによる『松虫』解説を、第二部では二人に加えてゲストに歴史学者の氏家幹人氏をお招きして能と武家社会に潜むホモセクシャルな構造を考証します」とある（https://www.vanilla-gakuen.com/kouza/1608/index.html、二〇二〇年八月二〇日参照）。

て。思ひの火を胸にたき。白居易は子を先立て。枕に残る薬を恨む」による」と解説する。つまり、発想の組み立てとしては、「胸に炬燵」とあるのが『天鼓』に由来すると見なしたために、「あらありがたの御弔ひや」も『天鼓』だと見なすという順になるだろう。

ところが、「胸に炬燵」の典拠（元ネタ）が『天鼓』だと見なすのには、やや問題が含まれていると考える。というのは、孔子の「思ひの火」は息子を亡くした苦しみの比喩であって、嫉妬の比喩として西鶴が用いた「胸に炬燵」とは質を異にするからである。談林俳諧の付合五〇〇組を採録した『物種集』（西鶴の句も収録）を見ると、「胸に思ふ火縄の煙立添て」に「あとより恋のおくり狼」と岩田西里が付けた例が見られる。この付句の発想と同様、西鶴の用いた「胸に炬燵」は、恋に身を焦がす状態を「胸に思ふ火」と捉えているのである。よって、「胸に炬燵」の典拠（元ネタ）を『天鼓』に限定する必然性は乏しいと言わねばならないだろう。それに伴い、「ああらありがたの御弔ひや」という表現も、『天鼓』との結びつきは弱まることになる。

一方、「あらありがたの御弔ひやな」という文言が登場する『松虫』には、シテが「盃の、雪を廻らす花の袖」と謡う場面がある。この表現を謡曲『紅葉狩』の「月の盃さす袖も、雪を廻らす袂かな」に照らして読み直すなら、「盃」は「月」を連想させるものということがわかる。[4] つまり、「盃の、雪を廻らす花の袖」という文言のなかに、「盃（月）」「雪」「花」というように、〈雪月花〉が織り込まれているのである。これに対して、「嬲りころする袖の雪」は、どうであろうか。章題にすでに「袖の雪」とあり、これらの謡曲の詞章を連想させる語句が用いられているということが、最初に確認される。そして、一話の冒頭で、香炉峰の雪を想起させる振る舞いを笹之助が見せ、こうした笹之助の才知を殿が称賛したことが語られる。これは、本話の通奏低音として白楽天の世界が響いていることを思わせるものと言えるだろう。本話で直接の言及はないものの、『和漢朗詠集』を通じて『松虫』に取り込まれた白楽天の七言律詩「殷協律に寄す」の詩句が想起されてくる。

琴詩酒の友は皆我を抛つ
雪月花の時ハ最も君を憶ふ

「嬲ころする袖の雪」は、冒頭で初雪について語られ、その後、冬枯れの情景とそのなかでの追い鳥狩りが描かれ、やがて季節がめぐって再び冬が訪れた際、桜が狂い咲きしたことから、運命の歯車が狂い出すという構成になっており、季節はめぐれども常に雪景色が背景を彩っている。章題が示すように、本話は「雪」の話なのである。また、桜の狂い咲きが重要なきっかけとなっていることから、「花」の話でもある。[5] 一話のなかに「月」という文言は登場しないが、夜の情景

4 「月」と「盃」の連想は、李白の詩「月下独酌」「把酒問月」などで馴染み深いものである（『古文真宝』などを通じて共有されていた漢詩の例）。

が描かれるということ自体が、それを照らす「月」の存在を感じさせるものである。また、笹之助の嫉妬の焔をかき立てたのは、五十嵐市三郎という若衆が葉衛右門に差した「盃」であり、二人の死後、笹之助の寝間には「酒事の器」が用意されていたと末尾において語られている。つまり、「つき」を音として含み持つ「さかづき」が描写されることで、結果的に「月」も本話に取り込まれていたと見なすことができるのである（もちろん「琴詩酒」の「酒」にも通ずる）。これは、先に引用した『紅葉狩』の「月の盃」という、盃を美化した慣用表現の存在することが、重要な証左となるだろう。「嬲ころする袖の雪」という話は、「殷協律に寄す」の詩を直接の引用という形ではなく、〈雪月花〉というモチーフに託して響かせたものと想定してみることができる。▼6

さらに、白楽天の詩が下敷きになっていると想定することで、もう一つ、謎が解ける部分がある。それは、従来、出典未詳（元ネタがまだわからない）とされた「美景栩栩維二胡蝶一」の文言の由来である。「栩栩」と「胡蝶」は『荘子』の「栩栩然として胡蝶なり」を連想させる。では、「美景」が見る者を引き留めるという描写はどこから来ているのだろうか。実はこれもまた、謡曲で多用される白楽天の詩が下敷きになっていると考えると、自然と前後の文脈がつながってくるのである。

ある時、長田山の西念寺の庭に復り花咲きて、家中春の心になりて見にまかりぬ。美景栩栩維二胡蝶一、見る人詩魔に便りを付けられ、腐復化するを忘れ、樽の出し口を仕掛け（傍線、引用

者による）

とある本文の「詩魔」とは、『和漢朗詠集』「春興（しゅんきょう）」の部の冒頭を飾る、白楽天の次の詩を下敷きにしたということの暗示であろう。

花の下（もと）に帰らんことを忘るるは美景に因（よ）つてなり
樽（そん）の前に酔（ゑ）ひを勧むるは是（こ）れ春の風

---

5 追い鳥狩りの帰り道、「恋も哀れもしらぬわたり侍」が、「春待つ梅」を手折って、そこに雉子をくくり付ける様子が描写される。「春待つ梅」は、成熟を待たずに命を散らす笹之助の比喩であろう。若衆が「花」の役割を果たしていると読むことも可能である。

6 本話に白楽天の〈雪月花〉を重ねた読み方の可能性を最初に指摘したのは、上演にも立ち会った、若衆文化研究会所属の漱石研究者坂東（丸尾）実子氏である。なお、『和漢朗詠集』がどのように謡曲に取り込まれているかについては、飯塚（二〇〇四）が次のように語っている。

　謡曲は朗詠（引用者注、『和漢朗詠集』を指す）の「言葉」を採っているものの、必ずしもその「題」や「内容」まで取り入れていない。朗詠を謡曲の場面に取り入れることは、その朗詠の「世界」を「翻訳」して謡曲の世界を構築することになるのだが、それはもとの朗詠が描く「世界」とはかなり異なっている。言い換えれば、それが可能であったがゆえに能作者は好んで曲中に朗詠を受容したとも言える（三五ページ）。

つまり、謡曲は『和漢朗詠集』のある種のアダプテーションであり、その本来の題とは異なる文脈を生み出しているということである。それゆえ、元来は「交友」の部立ての冒頭を飾っていた「殷協律に寄す」の詩が、交友と呼ぶレベルを超えて男性同士の深い交情を表現するものとして『松虫』で使われていたとしても、驚くには当たらないのである。そして、その『松虫』を媒介に、西鶴は〈雪月花〉という重要モチーフを本話の随所に仕込んだということである。

　これは、『松虫』では、ワキが「帰らん事を忘るるは」と謡いかけた言葉を引き取って、シテが「美景に因ると作りたり」と続け、次いで二人声を合わせて「樽の前に酔を勧めては。これ春の風ともいへり」と謡うくだりに取り込まれている。これらが「嬲ころする袖の雪」においては「春の心」「美景」「詩魔」「忘れ」「樽の出し口」などの文言のなかに散りばめられていたということになるだろう。

　そもそも笹之助は、寝間で一人、葉右衛門を「待って」いたのではなかったか。『松虫』には「唯松虫の独音に。友を待ち」とあるように「松」＝「待つ」であり、「松虫の独音」は「笹之助の独り寝」に通ずる。また、いささか不可解な登場人物の名さえも、実は、この『松虫』に由来すると見ると謎が解けてくる。『松虫』には、「菊をたたへ竹葉の」と酒のことを「竹葉」で表現する文言が出てくるが、竹葉とはつまり笹のことである。ここから笹之助という愛らしい名と、いささか珍しい葉右衛門という名が導き出されたのではないかとの仮説である。[7]しかも、元来が同一素材から生まれたのであるから、葉右衛門と笹之助とは、縁が深いなどと言うよりもさらに深く、一つの魂を割った存在、まさに魂の片割れと呼ぶべきであろう。さらに、「伴」という苗字に関しても、『松虫』が「琴詩酒の友」（「殷協律に寄す」）を引用し、「何とてか。この酒友をば見捨つべき」と謡うように、酒の「友」＝「伴」（仲間、バディ）と見なすこともできるだろう。「松虫の音に。伴ひて帰りけり」というように「伴」の文字も『松虫』のなかで用いられている。

さらに『松虫』では、「死なば一所と思ひしに。こはそも何」と言って、急死した友の亡骸を叢に見つけた男の悲嘆が切々と謡われていくが、「嬲ころする袖の雪」では、雪のなかで絶命した葉右衛門の亡骸の傍らで笹之助が腹を切るという形で、まさに「死なば一所」が実現する。これは、『松虫』の間狂言を参照すると、実によく符合することになる。能のなかでは、残された友が後を追って自害したとは明かされていないが、間狂言においては、「日頃約せし事なれば。我等も共に空しくならんとて。そのまま自害し失せ申し候」とある。[8] まさに、笹之助の振る舞いそのままである。

以上で検討してきたことから、西鶴が謡曲『松虫』を下敷きに、白楽天の〈雪月花〉をモチーフとして「嬲ころする袖の雪」の世界を繰り広げたとの仮説がここに提示できる。

7　この指摘は若衆文化研究会所属の泊瀬光延氏による。泊瀬氏はさらに、市三郎の名も、『松虫』の「市人」に由来する可能性を指摘している（「「嬲りころする袖の雪」ノベライズ　創作ノートその2」、泊瀬光延@ブログ、https://air.ap.teacup.com/hatsuse/154.html、二〇二〇年九月一三日閲覧）。また、小説投稿サイト「カクヨム」に、本話に基づく泊瀬氏の創作「西鶴新お伽草紙「嬲りころする袖の雪」」が掲載されている（https://kakuyomu.jp/works/1177354054890371989、二〇二〇年九月一三日閲覧）。

8　島津（一九九〇）の引用した古版本の『間の本』では「此松原の池へ身を投げ、空しうなり申され候」とあり、自害の方法が入水であったとわかる。細部の表現が異なる複数のテクストがあったと想定できるが、「アイの段が重要な意味を持ち、ここで典拠の『三流抄』と非常に近い形が語られ」たと島津（一九九〇）は考察している（一〇八ページ）。

5 「嬲る」行為について

実は、以上の検討からは解き明かされない謎が、まだ残されている。それは、あまりに強い印象を与える「嬲る」という語が何に由来しているのかということである。本話について、白倉（一九九四）は、次のように評した。

笹之助の異常性は普通の人間のすることではない。このような非情なことができるのは葉右衛門を愛しているのでできる。愛の内に潜む残忍性である。笹之助は葉右衛門をいとしく思っていないのではない、恋するが故に苛酷なことが平気でできる。相手の苦しみが快感になるという人間の愛のみじめさ暗さである（二七四ページ）。

現代的な感性に引きつけて本話を読む時には、どうしてもこのような見方をとらざるを得ないだろう。笹之助の行為に、ある種サディスティックな、ゆがんだ愛の形を見るという読み方である（それを受けて葉右衛門については、サディスティックな責め苦をことさらに喜んで受け入れるマゾヒスティックな欲望が潜んでいると読むことになるだろう）。

だが、本話の読みの可能性を、そのように現代人の感性で狭めても良いものか、いささか疑問が残る。ここで「嬲る」という行為が描かれる能楽を参照してみたい。代表的な作品に『自然居（じねんこ）

士（じ）』がある。[9] この謡曲は、西鶴編『物種集（ものだねしゅう）』に収められた「そもじつれなやから崎の松」への付句「なぶりやるか　ささらをすれの舞（まひ）まへの」で言及が見られるように、西鶴ら談林俳諧（だんりんはいかい）をたしなむ人々には広く共有され、「嬲る」という語から、ごく自然に連想されるものであったと考えることができる。この付句では、人買いが自然居士を「嬲」って、舞やささら（すって音を出す楽器）を所望するくだりが想起されている。「嬲（なぶり）ころする袖（そで）の雪（ゆき）」の笹之助は、最初から「殺す」目的で「嬲」っていたわけではなく、笹之助の許しを得たいという葉右衛門の一心な思いをもてあそび、慰みとして「嬲」っていたのではなかったか。これは、『自然居士』で、攫（さら）われる娘を取り戻したいという自然居士の一心な思いをもてあそぶ人買いの様子に重ねて読むことができるだろう。

　また、謡曲だけでなく、狂言にも「嬲」る例がある。狂言『二人大名（ふたりだいみょう）』には、二人の大名から無理に従者役を押し付けられ、「嬲」られたと感じた男が、ひとたび刀を手にするや、それを凶器として用いることで形勢逆転を図り、二人の大名を「嬲」る場面が登場する。刀だけでなく、着物をすべて取り上げた上で、鶏や犬の真似（まね）をさせ、小歌を歌いながら起き上がり小法師（こぼし）を真似るよう求めるなどして（舞台では、二人で向かい合わせとなり、息を合わせて異なる方向へでんぐり返しを

9　データベース「和歌&俳諧ライブラリー」を参照するなどして筆者自身も『自然居士』という謡曲に「嬲る」イメージがあることを把握していたが、観世流シテ方長山桂三氏に御教示いただいたことで、さらにこの連想が強固である確信を得た。ちなみに「自然居士」とは一三世紀後半の禅宗の名僧。楽器を鳴らし、歌い舞いながら、説教した。

しては元に戻るというリズミカルな所作をする)、散々に「嬲」るのである。

笹之助が葉右衛門に強いたことと言えば、「刀を取り上げる」「着物を脱がす」「幽霊の真似をさせる」などで、そのいずれもが、この『二人大名』の従者役の男が行ったような振る舞いに重なってくる。▼[10] つまり笹之助は、葉右衛門と共に、能・狂言の演目を実際に追体験しているような感覚でいたのではないかということである。それが取り返しのつかない事態を招いたところに笹之助の幼さがあったとはいえ、実のところ、葉右衛門の突発的な死とは、ある種の事故のようなものだったのではないだろうか。葉右衛門にしたところで、まさか死ぬつもりでいたわけではなかったろう。だが、悲劇は起きた。その深刻さを知るや、笹之助が一切の言い訳をせず即座に葉右衛門の傍らで腹を切ったのは、武家若衆としての矜持による。そして、謡曲『松虫』を媒介に、〈雪月花〉によって男同士の深い恋情を描く本作は、魂の片割れへの渇望を死によって充たす形で悲劇的な終わりを迎えるのである。

6 魂の片割れへの渇望

朗読芝居のエンディングには、原作にはない演出が加わっていた。それは、葉右衛門の遺骸に折り重なるようにして笹之助が割腹して果てたのちに、幻想的な箏の演奏に包まれながら、二人が無傷のまま起き上がり、身も心も互いに隅々まで満たし合うかのように、二人の睦み合いが象徴的に繰り広げられるというものである。極めて幻想的な演出で、仄かなエロチシズムを漂わせつつ、切なくも美しい舞台となった。最後、再び二人が身体を重ねて横たわる描写で終わっていく。二人が折り重なるようにして共に絶命したという悲劇的な結末は変わるものではないが、互いの夢想のなかで、魂の片割れへの渇望が優しく隅々まで満たされたのだということを観客に納得させる、秀逸な演出であった。[11]

そもそも謡曲『松虫』は、古今集の序「松虫の音に友をしのび」とある文言を解説した説話に、[12]白楽天の漢詩の世界を『和漢朗詠集』を媒介として重ねたもので、説話の演劇化、ある種のアダプテーションであるといえる。そして西鶴は、その『松虫』を下敷きにすることで、〈雪月花〉に託して象徴的に男同士の深い絆を表現する系譜に連なるものとして本話を仕立てた。これもまた、能楽のアダプテーションと見なすことが可能であろう。そこでは複数の能楽が参照されており、「嬲」るという強烈な印象をもたらす語彙さえも、謡曲『自然居士』や狂言『二人大名』などに見

10　筆者が偶然にも狂言『二人大名』を鑑賞する機会を得たことで、「嬲ころする袖の雪」と符合する点の多いことに気づくこととなった（第一二回　桂諷會、能『屋島』長山桂三氏、狂言『二人大名』野村万作氏、能『菊慈童』長山凜三氏、二〇一九年一一月二三日、於国立能楽堂）。

11　魂の片割れへの渇望が、舞台の上で優しく満たされていくという理解は、能の『松虫』にも当てはまるものとなるかもしれない。ワキの回向を受けたシテは、懐かしい友と過ごした楽しい時間を走馬灯のように思い浮かべ、その友の魂に寄り添うようにして消えていく。

12　島津（一九九〇）によると、「『松虫』の本説は、『古今集』の序に出て来る一つの言葉について説話的な話でもって注を付けた」『三流抄』という古注であり（一〇三ページ）、「この説話が間狂言の筋とぴったり合う」という（一一一ページ）。

られるものであることを確認するなら、必ずしも現代的な感覚でサディスティックとばかり断定すべきでないということがわかる。そして、このたび西鶴の話が、令和元年の観客の感情を強く揺さぶる朗読芝居に生まれ変わったことで、新たに読み直される機会を得た。[13] アダプテーションは、元になった作品（原典・原作）の含み持つものを、変奏を加えつつも、受け継ぐものである。そのダイナミズムに着目する時、単なる典拠論（作品の元ネタを示していく論）を超えた視点を獲得していくことが可能となってくるのではないだろうか。

［付記］

・作品名の表記として、朗読芝居の演目を指す固有名詞とした用いる場合には上演時の「嬲り殺する袖の雪」を用い、西鶴本文に即して語る場合には「嬲（なぶり）ころする袖（そで）の雪（ゆき）」とする。

・英文要旨における『男色大鑑』の書名や章題の表記はP・G・シャロウ訳による（Ihara Saikaku, *The Great Mirror of Male Love*. Translated, with an Introduction, by Paul Gordon Schalow. California: Stanford University Press, 1990）。

13　本稿での探究に大きな示唆をもたらした坂東氏（注6参照）と泊瀬氏（注7参照）の指摘は、『男色大鑑』の一話が解説付きで演劇化され、それを同時に複数の人間が共有するなかで、相互に刺激を与え合うことで生まれてきたものである。アダプテーションは、作品探究に集中するための磁場を生じさせるものといえる。

I

第2章では、『男色大鑑』を考察対象として、古典を読む方法の実践例を、アダプテーション、挿絵、〈演出〉の三つをキーワードに据えて、示していくことにする。

第2章　古典を読む方法——実践編——

アダプテーションから読む

第1節 〈萌え〉を共振・増幅させていく〈創作〉

1 映画を吟ずる

煙草から煙草へ長く火を移す
　なかやまなな「飛行記」
　BL俳句×映画吟行「ブエノスアイレス」（『庫内灯』2）

この句は、映画『ブエノスアイレス』（ウォン・カーウァイ監督、一九九七年公開）のなかでも最も印象深いシーンの一つで、ウィン（レスリー・チャン）が咥え煙草のままファイ（トニー・レオン）の手を取り、煙草より直に火をもらう場面を切り取っている。いわゆる「シガー・キス」である（❶）。長い睫毛を伏せたのち、無言でチラリと上目遣いにファイを見上げるウィンの眼差しには、ファイならずとも「瞬殺」されることだろう。この句がツイッターのタイムライン上に流れてき

❶映画『ブエノスアイレス』より、煙草の火を移すシーン

た時、筆者はBL俳句と（本当の意味で）出会い、そして、なかやまななという俳人に心惹かれることになった。そして、そうか、映画を観てその世界観にひたり、その余韻をさらに増幅させて脳内に刻みつける方法として、俳句という手段があったかと気づかされたのである。

　コミックスであれ、大河ドラマであれ、その作品世界に心とらわれ、登場人物への愛着をさらに増幅させるようにして新たな〈創作〉に取りかかり、それを披露するということは、SNS（ソーシャル・ネットワーキング・サービス）の広がりとともに近年とみに増加していると思われる。多くはイラストなどの形を採るのだろうが、これを俳句という媒体で実現させることも可能なのだと、『庫内灯（こないとう）』2の「BL俳句×映画吟行」特集は示してくれた[▼1]（❷）。俳句ならば、絵を描くのが苦手な人でも取り組める。また、考えようによっては、ビジュアル表現として固定されることをまぬがれたこ

❷［右］『庫内灯』、［左］『庫内灯』2

とで、鑑賞者が心のなかで自由にイメージを繰り広げる余地が生まれたということにもなる。これは〈萌え〉から始まる〈創作〉世界であり、〈創作〉することでますます〈萌え〉るとともに、それを鑑賞することで〈萌え〉の感覚を共振・増幅させていく世界といえる。

2 「ぶっとび同人野郎」

第1章で詳述したようにKADOKAWAによってコミカライズされた『男色大鑑』三冊に解説を寄せる機会を得たことをきっかけに、ＢＬ作家・編集者・享受者らが形づくる魅惑的な共同体の存在を知った。そうしたなか、『男色大鑑』を読む上で非常に示唆（しさ）に富むと思われた作品がある。それ

1　ＢＬ俳句誌『庫内灯』は二〇一五年創刊、第三号まで刊行されている（ツイッター・アカウントは@blhaiku1）。庫内灯という命名が秀逸である。冷蔵庫の薄暗さ、冷気、チカチカと消えかかるような儚（はかな）さを感じさせるとともに、「クローゼット」（同性愛を示す隠語）の連想も喚起。それでも間違いなく庫内灯は生活の必需品であって、それがなければ瞬く間に不便を感ずるというもの。この雑誌の魅力にはまった人は、この雑誌がなければ大きな欠落感を感ずるであろうとの予言までを感じさせる優れた命名である。

❹コミカライズ版『男色大鑑　歌舞伎若衆編』p.104

❸コミカライズ版『男色大鑑　歌舞伎若衆編』p.89

は、九州男児（きゅうしゅうだんじ）氏の「螢（ほたる）も夜盤勤免（よるはつとめ）の尻（しり）」（『歌舞伎若衆編』所収、表記はコミックスのまま）である。ネット上でも、その個性あふれるアレンジぶりが話題となっていたようだが、なかでも目をひくのが、藤村半太夫の熱狂的ファンとして造型された法師像である。その熱い想いは周囲の人々を圧倒し（あるいはあきれさせ）、〈創作〉とは「私の信仰の形なのだ」「半太夫様は神」と鼻息荒く力説する法師の姿がコミカルに描き出される（❸）。そして、その姿を遠目に見ていた半太夫が、「あの人の頭の中の私は」「現実の私より美しく崇高（すうこう）で」「そして自由なのだろう」と理解を深めていく場面へと展開していく。ここに登場する法師のことを、周囲の人々は「素人春画野郎（エロ同人）」と呼び、作者からは吹き出しの外にあるやわらかい手書き文字で「ぶっとび同人野郎」と形容され、本人の内なる心の吐露として「半太夫たんモエ〜」との書き込みも見られる（❹）。要するに、現代の「コミックマーケット」や「文学フリマ」などに集う人々のパロディとなっているわけである。[2] 歌舞伎役者への〈萌え〉を募らせ、「客に買われる役者」という現実からは目を逸らして「役者同士の純愛物語」を紡ぎ出し、〈創作〉のなかの半太夫に〈萌え〉て、現実の半太夫とは別次元のところに存在する「半太夫」に執着するという「役者オタ」の創出である。これを読んだ多くの読者は、九州男児氏の「ぶっとび」ぶりに驚くとともに、それを楽しんだようだ。

しかし、実は、この九州男児氏のアレンジが、意外にも『男色大鑑』の世界に相通ずるものを捉えているのではないかと筆者には思えたのである。もちろん、「ぶっとび同人野郎」との形容はさすがにないが、それらしき人物が実はほかの章に登場している。

2　「コミックマーケット」は有限会社コミケットの登録商標で、「一九七五年に始まり既に四〇年近い歴史をもつ日本最大の同人誌即売会」との説明が公式サイトにある（http://www.comiket.co.jp/　二〇一七年二月一九日参照、ただし、引用に当たって数字表記を改めた）。また、「文学フリマ」は「文学作品の展示即売会」で、「評論家・まんが原作者として知られる大塚英志氏が『群像』誌二〇〇二年六月号（講談社）掲載のエッセイ「不良債権としての『文学』」で行った呼びかけを発端として生まれたイベント」ということが公式サイトに記されている（http://bunfree.net/　二〇一七年二月一九日参照、ただし、引用に当たって数字表記を改めた）。

3 〈萌え〉からの〈創作〉

九州男児氏の作品においても、吉田伊織の口を借りて「結局」「その坊主は金がないんだろ」と言わせているように、役者を茶屋に上げて遊ぶことができるのは、それだけの財を蓄えた一部の成功者のみである。また、かつては成功者の一人であったのに、今は零落して見る影もなくなり、愚鈍を装って皆の嘲笑を受け、それでもなお、役者遊びの場から離れることはできず、太鼓持ちとして生き続ける哀れな男も登場する。原作の巻七の一「蛍も夜は勤免の尻」には、そうした男の苦渋の日々が点描されている。

その一方で、大尽（派手に散在する遊客）から一挙に卑賤の身にまで転落した男の話も『男色大鑑』には登場する。巻五の三「思ひの焼付は火打石売」である。玉川千之丞に惚れた男が、蕩尽（派手に遊び尽くすこと）の挙げ句、今は家屋敷も家族も持たず、賀茂川の上流で火打石を拾っては洛中売り歩き、夕方には売れ残りを捨てて五条の河原で寝るという生活を送っている。この男の場合、その零落ぶりが徹底していて、むしろすがすがしいほどだ。「都の今賢人」などと異名をとり（「究極のミニマリスト」といったところか）、ちょっとした有名人気取りである。

面白いのは、それほどまでに無欲で恬淡とした（物事に執着しない）暮らしぶりを誇示し、あらゆる俗念を捨て去ったかに見えるこの男にも、まだ玉川千之丞への執着は消えずに残っていて、それを『玉川心淵集』全四巻という書物にまとめ、昇華させているということである（この書はもちろん架空の書物だが、衆道をたしなむ人の必読書としてここでは紹介されている。このタイトルは「玉川千之丞の情けの深さにはまりこんだ」の意）。例えば、千之丞の身体中に、灸を据えた箇所がいくつあるかとか、蚤に喰われているのはどこかなど、あまりにマニアック、かつ、妙になまなましい暴露記事で埋め尽くされているという。そもそも当の千之丞すら、灸の痕が何カ所あるかなど正確には把握していないに違いない。誰も真偽の程を確かめようのない記述であるから、要するに一種の〈創作〉である。それが延々と続いて全四巻にも及ぶ。ちなみに『男色大鑑』の後半部がまさに全四巻であるから、それに匹敵するボリュームということになる。『男色大鑑』の場合は、各章すべて異なる役者を取り上げるのが基本であるから（例外もあるものの）、一人の役者だけを取り上げてこれだけの紙数を費やすエネルギーたるや、なんとも想像を絶している。まさに〈萌え〉からの〈創作〉、または、執筆することで、ますます〈萌え〉続ける状態といえるのではないだろうか。

しかも、この話の終わりまで読むと、不思議な結末に読者はいささか面食らうことになる。かつて千之丞の上客であったこの男は尾張（今の愛知県）出身で、千之丞としては、この客は尾張に帰ったものと思っていた。ところが意外にも洛中で生活していると知ったため、真冬の極寒の夜明け前、千之丞は酒を携えて河原へとこの男を探しに行く。顔の傷を手がかりに探し出し（傷という身体の欠損がその人自身を示すというのは多くの物語で描き出されてきたことではある）、酒を酌み交わして夜明けまで寄り添うのだが（❺）、なんとこの男は「よしなき人の尋ねきて、我楽みのさま

❺『男色大鑑』巻5の3挿絵。酒を酌み交わす今賢人と千之丞。

たげなり」（つまらない人が尋ねてきて、我が楽しみの邪魔だ）と言い残して、姿を消すのである。

この不思議さは、『男色大鑑』に関する論文を書いて以降も筆者の心のなかに残り続けた。生身の千之丞が目の前にいるにもかかわらず、それを喜ぶどころか、つまらない人と言ってのけ、むしろ迷惑とまで思う心境とは、どのようなものなのだろうかと考えたわけである。『玉川心淵集』と名づけた自らの〈創作〉に登場する千之丞のみが、自分にとってのリアルな存在ということなのだろうか。九州男児氏の描いた法師が、生身の半太夫を超越した、自らの〈創作〉のなかの「半太夫」を崇め奉っていたのと同様の心理が働いているとも想像される。

また、よりシビアな見方をするなら、もはや大尽客（豪遊する客）の立場に返り咲く機会など二度とめぐってこないこの男に、千之丞が仮初めの情けをかけたところで、やはり無意味だということになる。そう痛感し、諦めの境地に到達しているこの男からすれば、千之丞本人が現れたところで、「つまらない人」にすぎないのは当然かもしれない。あるいは、千之丞の行為を意地悪な視線で捉えるなら、自らを「情け深い若衆」として演出しようとしているとも言えるだろう。この男はそうした千之丞の意図を鋭く見抜き、「今賢人」が宣伝材料に利用されることを「迷惑」と思ったのかもしれない。[3]

他方で、こうした展開を取り込んでいく『男色大鑑』の世界観に立ち返ってみると、また、面白いことに気づかされる。執筆へと駆り立てる「過剰な衝動」とも呼ぶべきものが、この作品には多数取り込まれているからである。

4 書くという衝動

以前、西鶴研究者の谷脇(一九九二)が、『男色大鑑』には「書簡」(手紙)の文体が趣向として多く見られるということを指摘したことがある。

私見では、「書簡」を趣向に用いてその文体を作中に利用することが最も多いのは、『文反古』

3 寒さ厭わず河原まで訪ねた行為に感謝されるどころか、むしろ迷惑とまで言われた千之丞は立つ瀬がない。その後も都中を捜し回り、ついに見つけることが叶わないと知ると、残った火打石を取り集めて塚を築き、「世になきひとを弔ふごとく」(死んだ人を弔うように)草庵を結んで日蓮宗の法師を雇い、題目を上げさせたという。これは、面目を失った千之丞の精一杯の意地であり、いわば「徹底抗戦」であったと思われる。表向きは、かつて契りを交わした男をどこまでも恋い慕う情け深い若衆が演出されることになる。しかしその裏で、「今賢人」として人々から一目置かれ、恬淡とした暮らしぶりを満喫していたこの男は、以後、京の地にとどまることができなくなったのだ。

の八章を書く直前の作と思われる『男色大鑑』である（三五三ページ）。

また、この一節には次のような注が付されている。

> やや長文にわたる書簡の引用が、一の四、一の五、二の一、四の二、六の二、八の三に見られるばかりでなく、書簡を作中でとり上げる例は頻出する（三六一ページ）。

谷脇は、書簡体小説である『万の文反古』へと連なっていく文体上の趣向として、『男色大鑑』における「書簡」文体の利用に着目したわけだが、この指摘をさらに押し広げ、「執筆されたものの取り込み」として考えてみてはいかがだろうか。しかも、この執筆のうち、書き手の強い意欲や願い、あるいは、抑えがたい衝動からなされるものに特に着目してみる。

まず、巻頭章「色はふたつの物あらそひ」を見てみよう。『男色大鑑』の祖型とも言える書『若道根元記』がパロディで創出されている。[4] 四二歳になるまで全国を訪ね歩いて書き集めた衆道話が収まっていて、若衆道を熱く語り尽くした書だそうだ。

続く巻一の二「此道にいろはにほへと」には、美しい若衆二人に千々に乱れる心を抑えかね、辞世の歌を二人に遺して去るという僧侶が登場する。この歌が二又竹（二つに引き裂かれた心の象徴）に書かれていたというところが心憎い演出である。「書き置き」、すなわち、「執筆されたもの」の取り込みがここにもある。しかもこの時の執筆は、恋しい若衆への想いを断ち切ろうとしての辞世の歌というわけで、身を引き裂かんばかりの、そして自己矛盾に満ちた、強い衝動を秘めたものといえる。コミカライズ版『無惨編』で、あんどうれい氏が本話を取り上げている[5]。

次の巻一の三「垣の中は松楓柳は腰付」には、病に倒れた橘玉之助を毎日三度も見舞い、そのたびに見舞帳に名前を記した笹村千左衛門が登場する。日々足を運んでは真剣に病状を案じて名前を記す、それだけの行為だが、美辞麗句を連ねただけの恋文よりもはるかに強力な「恋文」となっているのではないだろうか。コミカライズ版『武士編』で、宮木りえ氏が取り上げている。

巻一の四「玉章は鱸に通はす」は、「書簡」取り込みの代表例とも言えるものである。念者への

---

4 こうした手法は当時のほかの書物にも見られる。例えば、『男色大鑑』の一六年後に刊行された浮世草子『男色木芽漬』（漆屋園斎自然坊、元禄一六年〈一七〇三〉刊）巻一の一では、弘法大師の誕生寺に生まれた児玉団三郎が、毘沙門天の導きによって鞍馬で美童子と契り、『男色木芽漬』を授かるという場面が描かれる。自己パロディであることが明瞭にわかる設定である。これに比べると『男色大鑑』の場合、『若道根元記』というように書名が異なり（『男色大鑑』の別称に『本朝若風俗』があり、こちらにやや近いものの）、一層手が込んでいるように思われる。

5 西鶴研究会編の中高生向けアンソロジー『RE:STORY 井原西鶴』（笠間書院）で、筆者は本話のノベライズに挑戦した（あんどうれい氏の美しい情景描写やかわいい少年の姿にインスパイアされつつ）。その際、「BL能」の呼び声高い謡曲『松虫』を取り込んでみた。突然の死によって引き裂かれる二人の美青年というテーマが響き合うためである。なお、二〇一六年九月二八日、東京南青山の銕仙会能楽研修所で上演された能『松虫』を鑑賞する機会があった。シテは谷本健吾氏、若男の面が妖しく美しく魂を宿し、それはそれは幻想的であった（本書Ⅰ第1章第4節注3、115ページに、この能の上演に先立って開催されたトークイベントの記述あり。なおトークイベントでの成果が上演にも生かされたように筆者には思われたが、機会があれば、谷本氏にお尋ねしてみたい）。

果たし状として延々と書かれた手紙は、染谷氏に言わせるとまるで「厨二病」（自意識過剰な年齢特有の心理状態）、恋の恨みつらみがさまざま書き連ねてあって興味深いものである。コミカライズ版『無惨編』では、クラカミ氏が取り上げている。

巻一の五「墨繪につらき剣菱の紋」では、野原の草の葉に結んだ「書き置き」の筆跡を手がかりとして、若衆が恩人の男とめぐり会う。横恋慕を仕掛けてこの若衆から袖にされた男が、意趣返しとして仕掛けた罠もまた、一種の「書き置き」であり、この話では「書き置き」のモチーフが重要な役割を果たしている。

巻二の一「形見は弐尺三寸」では、父の敵を記した母の遺言状を中井勝弥が開くところから敵討ちの物語が起動していく。これも「書簡」を描いた代表例といえる。コミカライズ版『無惨編』で、雁皮郎氏が取り上げている。

そして、衝動に突き動かされての執筆ということでは、先に取り上げた「都の今賢人」にも劣らぬ熱量を感じさせる人物として、巻三の五「色に見籠は山吹の盛」の田川義左衛門を挙げないわけにはいかない。武士の身分をもかなぐり捨て、一目惚れした若衆・奥川主馬の後を三年のもの間追い続けたこの男は、「薄紙七十枚」を継ぎ合わせた巻物に、主馬との出会いとその後の日々をすべて書き付けていた。これを、幸運にも主馬本人に見せることができ、主馬がそれを殿に献上したことで幸せな結末を迎えるわけだが、そもそもは、主馬宛の「書簡」というわけではない。先に引用した谷脇もそれゆえこの章には触れていない。文体の取り込みがなかったからということもあるだろう。だが、あふれる想いを執筆で昇華させる行為として、注目に値すると考える。ちなみにコミカライズでは、雁皮郎氏が『武士編』で本話を取り上げている。

このように見ていくと、四〇章すべてというわけではないが、かなりの数の章に手紙、書き置き、書き溜めたものの取り込みなどが見られるとわかる。そのなかには先に見たような、熱烈な役者ファンの〈創作〉作品のようなものまであり、考えようによっては、『男色大鑑』全体が〈萌え〉に突き動かされるようにして執筆され、集積されていったものと言えそうである。[▼6] そして、三〇〇年以上の時を経て、西鶴の〈萌え〉を共振・増幅させていく新たな動きがコミックスの世界に登場したといえるだろう。

5 二次創作、パロディ、そして、アダプテーション

こうした〈萌え〉からの〈創作〉ということを考える時、今日の文化状況に照らすなら、「二次創作」へと駆り立てられるエネルギーと類比して考えることができる。西鶴もまた、前半二〇

---

6 西鶴の用いた言葉遣いのなかで〈萌え〉に近いのは「すきもの」ではないだろうか。もちろん、「数寄者」（風流な人）という一般的な意味もあるが、『男色大鑑』のなかでは、「此道すきものの我なれば」という表現が巻六の五「京へ見せいで残り多いもの」に出てくる。その文脈では、直接的には役者を「好く」心を捉えた表現ではあるが、〈萌え〉の深層に「好き」があるということや、「すきもの」の語から性的連想が働くことなども、〈萌え〉に一脈通ずるものがあると考える。

章のうちの二章において、写本で伝わっていた既存の物語を取り込んでいるということが、すでに明らかとなっている。『男色大鑑』における「執筆されたものの取り込み」は、このように既存の物語さえも飲み込む規模で存在しているのだ。もちろん、西鶴研究者はこれを西鶴の「二次創作」とは呼ばない。オリジナルとその素材として捉える。「二次創作」という表現を用いると、オリジナル対コピーという対立概念がどうしても付随することになり、そこに価値の上下が生じてくる。[7]あるいは、オリジナル対パロディという図式も考えられることだろう。[8]

しかし、「二次創作」「パロディ」のいずれの用語でも、はたまた「リメイク」という用語でも取り込みきれないものが、コミカライズ版『男色大鑑』にはあるように思えてならない。それは、翻訳研究の術語でもある「アダプテーション」という用語で捉えるのが最もふさわしいものであろう。[9]そのように捉えて初めて、文学を取り巻く多様な〈創作〉活動の大きな流れのなかに、コミカライズも位置づけていくことができるように思われる。ある作品を権威化したり、絶対視したりするのではなくて、その作品のエネルギーに感化を受け、そこに強い愛着を覚え〈萌え〉を感じ)、その愛着そのものを表現しようと試みたものもまた、オリジナルになり得るということに、ここで思い至る。ウォン・カーウァイ監督映画への〈萌え〉を、新たな形へと結晶させた俳句もまた、オリジナルなのだ。

何かを書く・表現するという行為に含まれる強い衝動のありかを、西鶴の『男色大鑑』は実は捉えていたのではないか、このようなことをコミカライズに触れるなかで考えた。[10]

7 「二次創作」については、東（二〇〇一）が次のように定義している。「二次創作とは、原作のマンガ、アニメ、ゲームをおもに性的に読み替えて制作され、売買される同人誌や同人ゲーム、同人フィギュアなどの総称である」（四〇ページ）。そして、今日の文化状況には、オリジナル対コピーという図式だけでは解き明かせない「データベース消費」という形態が生じているという。

8 文学研究において「パロディ」という用語は極めて重要であり、本エッセイでも「自己パロディ」などとたびたび用いている。また、日本文化には古くから「パロディ」が偏在していたのだとの研究成果にも心惹かれるものがある（クリステワ、二〇一四）。

9 本書では、「はじめに」で示したように媒体・時代・地域などを飛び超える際に、受容者や環境にアダプト（適応）させる必要性から生み出されたもの、あるいは、その生み出す過程そのものを指して、アダプテーションと呼ぶことにする。

10 西鶴の作品群のなかで「書かれたものの取り込み」が非常に多く見られるのが『男色大鑑』であるということは、偶然ではないと考える。西鶴に男色世界への〈萌え〉があったという理由だけではなく、男色そのものが、古来、文芸世界と馴染み深い形で存在してきたことも考えてみる必要があるのではないだろうか。これについては、次節でさらに考察していく。

挿絵を読む

第2節　挿絵の嘘と〈演出〉

1　はじめに

この節では、コミカライズという視覚的な側面からのアプローチを手がかりに、『男色大鑑』の挿絵に込められた仕掛けを読み解いていく。その過程で、作品のなかに広がる〈知的空間〉についても触れていきたい。

2　視線と構図

『男色大鑑』には多くの挿絵が含まれており、作品のもたらす印象を左右するような存在感を放っている。それがために、挿絵とほぼ同じ構図のコマが漫画に出てくると、ほんのわずかな差異にまで目が向きがちである。

❶コミカライズ版『男色大鑑　武士編』p.59

❷『男色大鑑』巻3の5挿絵（対角線の加筆は引用者）

ここに掲げるのは、巻三の五「色(いろ)に見籠(みこむ)は山吹(やまぶき)の盛(さかり)」をコミカライズした雁皮郎(がんぴろう)氏の作品である（❶）。印象的な美しいシーンなのだが、西鶴の『男色大鑑』既読の読者であれば、おそらく微妙な違和感を覚えるのではないだろうか。それは、主要人物二人の視線のありようが、漫画のコマと『男色大鑑』挿絵で、異なっているためである。

❷の西鶴の挿絵においては、若衆の視線と膝をついて座る男の視線がひたと合い、しかもその視線が画面の対角線と完全に平行であるため、画面全体が均整のとれた美しさを保ち、印象的である。これに対し、❶では、両者の視線が一致していない。主馬(しゅめ)は義左衛門(ぎざえもん)を見つめているが、義左衛門は主馬を見ていないのである。これについて染谷智幸氏が「雁皮郎さんの絵もできればそうしてほしかった」

（主馬と義左衛門が見つめ合う構図にしてほしかった）とブログに記したところ（二〇一七年二月一二日、ブログ「染谷研究室」）、二日後に作家本人から「たしかに私もこの挿絵が大好きで、同じように視線を合わせるか迷いました。ですが挿絵の首の捻りがかなり大胆で私の絵では再現できず、今回は背中を向けている体の向きのほうを優先させてみました」とツイッター上で回答があった（@ganpirou　二〇一七年二月一四日午前零時ツイート）。

この回答によって、『男色大鑑』の挿絵が、実は人体のリアルな動きから外れる構図を大胆に取っていたのではないか、ということに改めて気づかされることになった。[1] 首を捻るポーズそのものが不可能ということでは決してないが、背後の人物と視線を合わせた人間の目の表情を、正前のアングルから捉えた場合、ほとんど白目しか見えないのが現実である。挿絵のような美貌を捉えるのは、少なくともカメラアイではほぼ不可能であろう。要するに、この作品の挿絵においては、現実そのものを描くことよりも、視覚的効果が重視されているということなのである。挿絵は大なり小なりの演出が加わった絵画表現として見るべきという、当たり前と言えば当たり前かもしれないが、こと本作品に関しては、これまで意識されることの少なかった着眼点が、ここに浮かび上がってくる。以下、そうした視点で『男色大鑑』のほかの挿絵についても見直してみ

1　コミカライズに際して漫画家諸氏が西鶴当時の衣装・髪型などを努めて正確に再現すべく腐心していることは、研究者にも大きなインパクトを与えた（本書Ⅰ第1章第1節でも触れた通りである）。今後は、作品の解説を行う際に、ビジュアライズ可能な状態での注釈ということを、より強く意識していく必要があろう。

たい。

3　舞台を再現した挿絵

コミカライズ版『男色大鑑　歌舞伎若衆編』の巻末に置かれた「涙のたねは紙見せ」に着目してみる。西鶴の『男色大鑑』においては、念者と死別した若衆が出家して終わる哀切な話であるが、コミカライズでは、出家した若衆が、死んだはずの念者と再会する話にアレンジされ、ハッピーエンドを期待するＢＬ読者の想いに応える物語へと進化を遂げている▼2。

これは、西鶴の『男色大鑑』においては、巻五の巻頭話である。単に巻五の巻頭というだけでなく、歌舞伎若衆を描く後半世界（巻五〜八）への導入話でもあるため、作者がそれ相応の意匠を凝らしていることが想像される。

本話の舞台は京都である。東山での花見を終えた歌舞伎若衆・藤村初太夫が荒くれ者らに囲まれ、今にも喧嘩が始まるかという場面が挿絵に仕立てられている（❸）。若衆の手から桜の花を奪い取ろうと、左手を刀に添え、今にも斬りかからんばかりに力んだ男たち（画面右）に対して、一歩も引かぬ構えの若衆（画面左）が、両足を踏ん張り、腹に力を入れ、男たちに正対している。風に翻った花見幕が臨場感を高め、背景を彩る桜と松、遠景の吉田山が画面に奥行きをもたらす。この危機的な場面を救う人物、いろはの十郎右衛門のみ、黒羽二重の着流し姿で、黒色のインパクトが画面全体を引き締めるとともに、この男が重要人物であることを自然と伝えている。[3] 屋外の一情景を切り取った体の構図だが、あまりに「劇的」、というよりは、もはや舞台上そのものなのではないだろうか。

ここで、『男色大鑑』と刊行時期が近く、西鶴も参照していた可能性の高い役者評判記[4]『難波立聞昔語』（貞享三年〈一六八六〉刊）の挿絵を対比させてみる（❹）。櫻山林之介という若衆が登場する場面である。❸と対比させてみると、若衆が立つ位置（画面右端）と、荒くれ者の男たちの立つ位置（画面左）が左右逆転しているものの、刀に手を掛けて一触即発という場面に、仲裁が入るところまで、実によく似た構図である。この図にも松と「桜」が描かれている。「桜」はこの場合「櫻山林之介」の暗喩であり、林之介の衣装の文様も桜である。

さて、『男色大鑑』の藤村初太夫とはどのような役者であったのだろうか。先行研究では、この若衆のモデルは藤村半太夫とされている（新編日本古典文学全集頭注など）。半太夫と初太夫では名前が異なるが、この藤村半太夫は実は巻七の一にも登場するため、同一作中に二度も登場させたとの印象を弱めるために、あえて名前を改変したのではないかとされている。ただ、藤村半太夫

---

2 余談であるが、BLアンソロジーは、巻頭に読者の注目を集める話を置き、巻末に読み応えのある話を置くのが定石という（コミカライズ版『男色大鑑』編集責任者の斉藤由香里氏談）。さまざまなことに応用の利く発想方法といえる。

3 BL表現の定石として、「攻め」の髪色が黒いということが知られているが（それゆえに、その共通理解をずらして用いている作品もあろうが）、『男色大鑑』の挿絵においても、念者が黒色の装いに身を包んでいるのは興味深い符合である。

4 厳密にはこの頃の評判記は、「野郎評判記」と呼ばれるものであるが、本書では広義の意で「役者評判記」の語を用いていく。

❸『男色大鑑』巻5の1挿絵

❹『難波立聞昔語』荒木座の巻「中きやうげん」（東京大学総合図書館蔵）

を彩る花は「藤」であって「桜」ではない。本話の重要モチーフである「桜」はどこから来たのだろうか。

本話の初太夫は、情けにあふれた若衆として造型されている。「見ぬ人のため」、つまり、桜狩りにくり出せずにいる人のためにと桜の一枝を手折るのだが、この「見ぬ人のため」は「多祜の浦の底さへにほふ藤波をかざして行かむ見ぬ人のため（多祜の浦の底にまで藤の花の美しさが映るようだ。その波のごとくに揺れる藤の花を髪に飾って行こう。まだ、この藤を見ることができていない人のために）」（万葉集・巻一九・縄麻呂）を引歌（引用元）としたものである。元来の文脈も藤の花であり、若衆の苗字も「藤村」であるから、この場面は「桜」ではなく「藤」であってもよかったはずである。[5]それをあえて「桜」にしたのはなぜか。花の命の短さが、若衆の美貌（成長と共に失われる美）の儚さに似つかわしいということもあるだろうが、それに加えて、『難波立聞昔語』に登場していた櫻山林之介の「桜」を連想していた可能性も否定できないように思われる。

本話の初太夫は情けにあふれるのみならず、荒くれ者に喧嘩を売られて一歩も引かない気性の持ち主でもある。従来、モデルとして想定されてきた藤村半太夫は、役者評判記『野郎虫』に「近き頃のもつたいにくらぶれは（最近の半太夫がもったいぶることに比べれば）」（三二ページ）とあることから、ことさらに重々しい態度をとる若衆であることは確認されるが、意気地の強さを強調す

5　なお、巻五目録には「花崎初太夫出家する事」とある。モデルの「藤村」を「花崎」（「花咲き」＝「桜が咲き」に通じる命名）に改変する予定であったものを、本文執筆時になぜか「藤村」のまま使用したものと思われる。

❺ ZAKK氏によるコミカライズ版『男色大鑑　歌舞伎若衆編』表紙の原画

る描写までは確認できない。これに対して櫻山林之介の場合は、「此人の内に憎からぬお針あり（この林之介は心のなかにかわいい「お針」＝「張り」を持っている）」と『難波立聞昔語』で紹介されていて（二〇八ページ）、気性の激しさを持つ若衆というのである。それらを総合して考えるに、西鶴が初太夫という架空の人物を造型するにあたり、藤村半太夫だけでなく、櫻山林之介の人物像も投影したのではないか、との新しい仮説がここに提出できるだろう。▼6『男色大鑑』刊行の前年に『難波立聞昔語』が刊行されており、西鶴がこの評判記を目にした可能性はかなり高い。それに加えて、この『難波立聞昔語』の挿絵に取り込まれている舞台そのものを西鶴が見ていた可能性もある（西鶴が荒木座の芝居をたびたび見物し、荒木座の役者らとの交流も深いことは『男色大鑑』のほかの章で確認できる）。その影響関係を厳密に証することは難しいものの、挿絵の構図の類似性と、西鶴と荒木座との関わりの深さから、蓋然性（たぶんそうだろうという可能性）は高い。

なお、この巻五の一の兄分と若衆の二人は、コミカライズ版『男色大鑑　歌舞伎若衆編』の表紙絵にも登場する（❺）。コミックス本編では、恋を知らない初心な若衆として造型されている初太夫であるが、この表紙の初太夫は、兄分の顔に桜の枝を添えて頬を引き寄せており、自分の意のままに兄分を動かそうとするような、「張り」の強さがうかがえる。桜のもつ婀娜っぽさに加えて、こうした内面の強さも描き込んだ挿絵担当ZAKK氏の力量に感服するとともに、現代のBL読者の一定層の嗜好（勝ち気の美しい「受け」を好む）と西鶴の人物造型とが響き合う不思議さに驚く。

4　「書物」へのデフォルメ

『男色大鑑』巻頭に置かれた挿絵もまた、視覚的効果を優先させたものとして注目すべきもの

6　京の役者藤村半太夫が主たるモデルであることは確かだろう。だが、本話挿絵の卍の紋の向きが『野郎虫』の藤村半太夫とは逆転している。これはなんらかのアレンジを加えた可能性を示唆しているのではないだろうか。なお、本話挿絵に『難波立聞昔語』の挿絵との類似性が見られるということについては、『西鶴浮世草子全挿絵画像』CDにおける『男色大鑑』挿絵（担当畑中）の解説で「互いににらみ合う画面構成は、『難波立聞昔語』荒木座の巻の「中きやうげん」の挿絵に似ており、歌舞伎の一場面であるかのような印象を醸しだしている」と述べたのが最初である。

といえる（❻）。左手の奥に座っている人物が講釈を行い、その前に大勢の武家若衆が、麗しい振り袖姿で集っている。めいめい書物を開き、講釈に耳を傾けている。講釈者の正面に陣取って熱心に注釈を書き留める模範的な若衆もいれば、自分の本は持たずに、隣の人の本をのぞき込んで済ませている若衆もいて、まるで大学のゼミ室をのぞき見ているかのような臨場感がある。廊下に座っているのは供の者、庭にいるのは草履取りの下僕である。タイトルを付けるなら「学びの情景」または「講釈の場」となろう。本文中に描き込まれた『若道根元記』という書物は、この『男色大鑑』（内題『本朝若風俗』）の自己パロディであり、そうした書物を執筆した男が、女色男色の分かちを講釈するという設定である。よって、ここで武家若衆の子らが手元で開いているのは、本書のパロディ本ということになる。

今日的な感覚からすれば、講義の場で受講者が手元でテキストを開いているのは当然のことのように思われる。だが、江戸時代の講釈の場というものは、これとはかなり異なっていたようだ。[▼7]

試みに、座敷内での説教の場を描いた図を掲げてみる（❼）。これは『一休可笑記』という「仮名書きの仏書で、臨済宗（一休和尚）の立場から五戒を易しく説いたもの」である（深沢、二〇〇八、四七ページ）。各丁（丁はページを数える単位）を上下二段構成にし、上段に仮名法語の『一休水鑑』に似せた『一休丸鑑』や、『一休水鑑増註』を置き、下段にそれに関連する文章や挿絵を置く（仮名法語とは、仮名でやさしく説いた祖師、高僧の教え）。この図では、禅の教えを説く説教者に対座する形で、扇子片手に問いかける男の姿が描かれている。上段の文章も問答形式で綴られており、そ

❻『男色大鑑』巻１の１挿絵（書物を開き、講釈に耳を傾ける若衆たち）

❼『一休可笑記』（宝永２年刊、半紙本２冊、国文学研究資料館蔵）

❽『正信偈訓読図会』「御宗旨繁盛の図」（安政３年刊、暁鐘成著、松川半山画、国文学研究資料館蔵）

れを忠実に挿絵で再現したものといえる。この図から明らかとなるのは、「書物」を手元で開くのは説教者のみで、聴衆はすべて音声言語で享受しているということである。

　また、別の図を参照してみる。[8] これは親鸞(しんらん)の『正信偈(しょうしんげ)』（正信念仏偈）の絵入り注釈書『正信偈訓読図会(くんどくずえ)』に掲載された「御宗旨繁盛(ごしゅうしはんじょう)の図」である（❽）。まさに貴賤群集(きせんくんじゅ)をなし（身分の高い者も低い者も寄り集まって）、浄土真宗の人気ぶりが挿絵で強調されている。聴衆は説教者を一心に見つめており、先ほどの『一休可笑記』同様、音声言語のみで熱心に聴講している。

　つまり、講釈の場において聴衆のほぼ全員が手元に「書物」を開いている『男色大鑑』の挿絵こそ、むしろ特異なものになっていると言えるのではないだろうか。この挿絵は、現実世界をそのまま描き出した構図などではなく、「書物」の存在をことさらに強調したものとなっているのである。

実は、『男色大鑑』本文中に「執筆されたものの取り込み」が多数見られることについては、前節で確認した通りである。そうした本文の特徴と、この挿絵の特異性、すなわち「書物」の存在をデフォルメして描くこととは、よく似た構図にあると言える。別の視点で捉えるなら、これは〈知的空間〉を意識的に強く印象づける表現ということになりそうだ。

5 〈知的空間〉としての『男色大鑑』

執筆したもの、とりわけ「書物」を、テキストにも挿絵にも取り込んでいるということから、『男色大鑑』という作品が、〈知〉の伝達ということにかなり意識的な作品であるということが推測される。なぜなら、「書物」とはまさに〈知〉の象徴だからである。

そこで、〈知〉をキーワードに据えて、引き続き『男色大鑑』の挿絵の検討を進めてみたい。

❾は、巻一の二の挿絵で、手習い屋の一道のもとで、心静かに筆を運ぶ若衆たちの姿を描いた

7 この構図の珍しさに着目するようご教示くださったのは、国文学研究資料館主催の国際シンポジウム「仮名・ものがたり・随想―江戸の〈知〉の展開―」で筆者が発表した際に司会を務めていた川平敏文氏（九州大学准教授）である。

8 この図を参照し得たのは岩間智昭氏（龍谷大学大学院生）のご教示による。

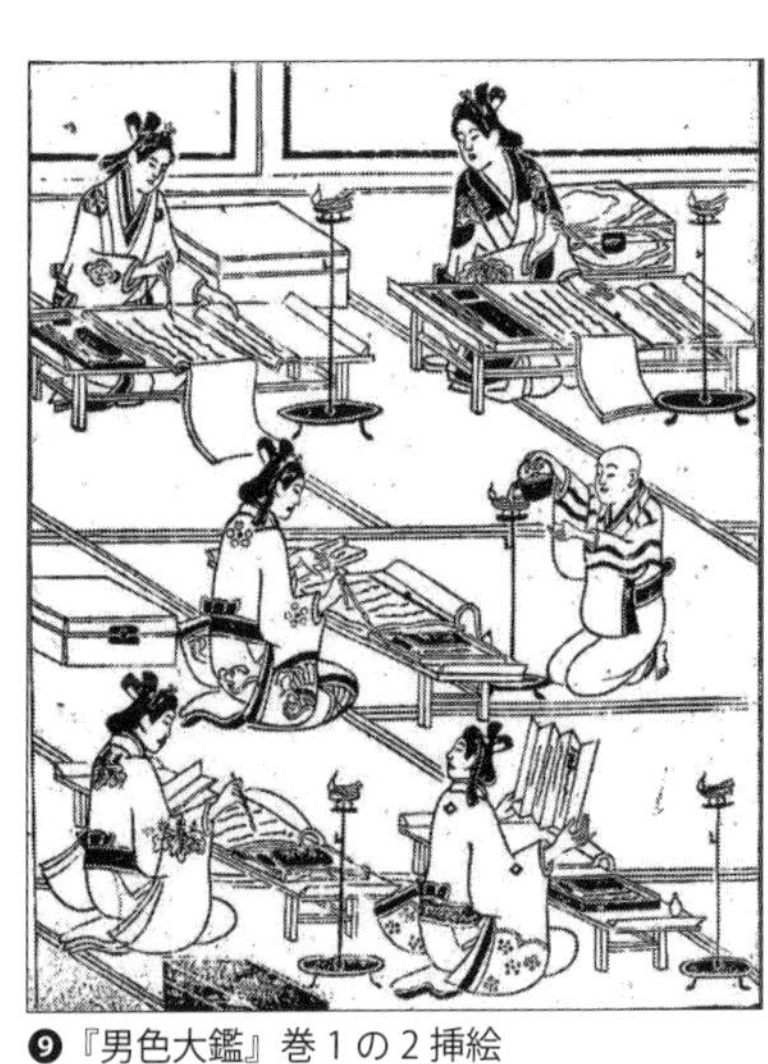

❾『男色大鑑』巻1の2挿絵

ものである。灯火が描かれることで、時間帯が夜であることが示される。先ほどの講釈の場面に登場した若衆たちよりもさらに幼い、九歳の男の子二人の恋愛が描かれた話で、一心に学ぶ少年たちの姿が、挿絵において印象づけられている。ここにも手習いという「学びの情景」があり、〈知〉の伝達の強調が見られる。

なぜ、このように〈知〉の伝達ということが強調されていくのだろうか。それを知るには、衆道の人間関係ということを考えてみる必要がある。兄分と若衆の関係性というのは、指導的立場の者と、その知性や人間性を慕う者という構図にあることが思い出される。二つほど具体例を挙げてみたい。

まず、巻一の四に登場する増田甚之介の場合である。甚之介は、懸想文（ラブレター）を受け取った際、「（今までは内密にしていたが）心得のためにも」と思って兄分にその事実を告白する。これは、兄分からの助言を期待しての行動である。衆道指南書といった趣の浮世草子『男色十寸鏡』にも、「何事も兄分に問ふべき事」と題した一章があり、当時、若衆が兄分からさまざまな教えを乞うということが、当然のことと見なされていたことがわかる。

もう一つの例は、巻二の三における若衆三之丞と兄分勘右衛門の関係である。死後に三之丞の夢枕に立った勘右衛門は、三之丞の美貌を褒めつつも、その髪型が「郡山風」（この郡山は大和郡山のこと）で「見ぐるし」と言って月代を剃る。「あたまつき後ろ下がり」（洒落た髪型）で「衆道のわけらしき風俗」（衆道における格好よさを熟知した装い）と描写された勘右衛門が、死後までもその美的センスを若衆に伝授するのである。夢枕に立つという奇談仕立てにはなっているが、主眼は、月代の剃り方ひとつにもこだわりを持つ男の感性にあるといえる。兄分が若衆に伝授するのは、人間関係での身の処し方にとどまらず、装いの極意に至るまで、幅広いものであることがわかる。

〈知〉の伝達と関連が深いこととして、中国男色故事を引用し、漢語を多く用いる表現方法についても触れておきたい。

これまで研究者が『男色大鑑』をどのように論じてきたかを見ると、「気負いたったような筆致」（冨士昭雄「解説」『男色大鑑』決定版西鶴全集6、三五二ページ）、「西鶴の印記のある自序は、少々そらぞらしい」（野田、一九九〇、三二一ページ）「何か無理に男色を高揚しているような気がする」「本書の内容は、意外にまじめで固い」（同、三二二ページ）「彼にとって男色は苦手」（同、三六〇ページ）等々が見られる。だが、ある種の物堅さを感じさせる表現の数々というのが、男色への苦手意識ゆえに生じた生硬さ（未熟ゆえのかたさ）だと捉えることには異論がある。次節で詳しく検討していくように、テーマに即した一種の〈演出〉と見たほうが、作品理解も深まることだろう。男色の雰囲気――それは〈知〉の伝達を伴う場――を醸し出すということを、表現の選び方の上でも、意識的な方法として西鶴が用いていたということである。

漢語表現の多くは引用によって取り込まれている。例えば、仮名草子『よだれかけ』（楳條軒、寛文五年〈一六六二〉刊）の文章に巧みに手を加えながら、引用を行っている例がある（『よだれかけ』本文は、『江戸時代文芸資料』第四、東京大学総合図書館所蔵霞亭文庫で補足）。二カ所ほど選び、『男色大鑑』と対比させながら、読んでみる。

・『よだれかけ』巻五
　衛の霊公は、弥子瑕に惑ひて、孔子に卑しまる
（衛の国の霊公は、弥子瑕という美少年に心惑わせたために、孔子から卑しまれた）

・『男色大鑑』巻一の一
　衛の霊公は弥子瑕に命をまかせ
（衛の国の霊公は、弥子瑕という美少年に命を任せ）

・『よだれかけ』巻五
　魏の哀帝は、龍陽君におぼれて座臥をゆだね
（魏の国の哀帝は、龍陽君という美少年におぼれて、自身の日常の振る舞いを、この美少年の意のままに

させ）

・『男色大鑑』巻一の二
魏の哀王が、竜陽君を念友に定まりて後、女乱おさまり、国中衆道に諒あるを知るとかや
（魏の国の哀帝が竜陽君を念友に定めてからというもの、女性が原因で生ずる政治の乱れもなくなり、国中の人が、衆道に徳義があることを知ることになったとのことだ）

比べるとわかるように、西鶴は仮名草子の伝える中国男色故事から、「惑ひて」「卑しまる」「おぼれて」など、比較的ネガティブな印象をもたらす言葉を取り去り、「衆道に諒ある」（衆道に徳義がある）など、良い評価につながる表現を付け加えて自身の作品に取り入れている。これは、〈知〉的に語るという〈演出〉意図を伴ったものであり、さらに言うなら、中国故事による権威付けを意図したものとさえ言えるだろう。この〈演出〉というキーワードについては、次節でさらに掘り下げていくことにする。

6　おわりに

本節では、コミックスというメディアへのアダプテーションをきっかけとして、『男色大鑑』の挿絵の読み直しに取り組んでみた。コミックスというものが、絵画表現におけるリアルを追求す

るメディアであるために、こうした視点が開かれていったのである。その結果として、作中人物のモデルに新たな可能性が見いだし得ることや、作品の全体像を見直す視点を掘り起こすことができたものと考える。

今後も、イラスト、コミックス、現代語訳、舞台、映画、さらには、それらの二次創作に至るまで、西鶴作品は何度でも生まれ変わってゆくに違いない。そうした読み替えやアダプテーションによる揺さぶりに耐え得る強度こそ、古典の古典たるゆえんである。複数のメディアで作品を同時に展開していくことが好まれる現代の文化状況において、西鶴作品が漫画を通じて再評価の機会を得たのは、決して偶然ではないだろう。

［付記］

二〇一八年四月、国文学研究資料館で開かれた国際シンポジウム「仮名・ものがたり・随想――江戸の〈知〉の展開――」で「知的空間としての『男色大鑑』」と題して発表した内容に基づき、加筆した部分がある。

第3節　〈演出〉から読む　男色の道をあえて選ぶ男たち

1　「抑制」とエロス

『男色大鑑』という作品に対しては、西鶴が男色というテーマに極めて意欲的に取り組んだ大作との評価がある一方で、西鶴は男色が「苦手であった」と評する者もいる（野田、一九九〇、三六〇ページ）。なぜ、このような評価が出てくるのかといえば、「『男色』という書名に惹かれて読む人々にとって、落胆の多い作品」であって、「民間の男色の実態や男色行為そのもの」を期待する読者のなかには「少々だまされたという感を持つ人も少なくないであろう」と考えるからである。このほかにも、「愛欲、エロスの発現としての男色の西鶴らしい生臭い追究が行なわれ」ていないとの否定的な評価も存在する（高橋、一九八八、二四〇ページ）。

他方で、『男色大鑑』のなかにも独特のエロティシズムが見いだせるとの指摘もある。例えば巻二の三で、三之丞の吐いた唾を川の下流で「雫ももらさず咽筋をなら」して飲む勘右衛門の姿に、

「肉体の直接的な接触でないゆえに、かえって不思議なエロチシズムが醸しだされる」と見た染谷（二〇〇五）は、巧みに『男色大鑑』ならではのエロスを炙り出して見せる（二四四ページ）。とはいえ、こうした側面は、鋭敏な感受性によってのみ、初めて知覚されるというような性質のものであって、誰にでも容易に読み取れるほどあからさまなものとしては存在していない。むしろ、極めて「抑制」の効いた表現と言って良いだろう。実は、この「抑制」ということが、『男色大鑑』を特徴づけるものの一つであると考える。

　また、「西鶴の描いた男色」をひとくくりにして考えるべきではないということにも注意が必要である。なぜなら西鶴は、作品ごとに、そこで創り出される世界観、雰囲気といったものを意識的に変えていたのではないかと思われるからである。例えば、浮世草子『男色大鑑』での若衆の描かれ方と西鶴著の役者評判記『難波の㒵は伊勢の白粉』（土田衛の考証により天和三年〈一六八三〉刊行とされる）での若衆の描かれ方とには、明瞭な違いが見られる（このあと、四で詳述）。西鶴がどのような〈演出〉意図を持って『男色大鑑』という作品全体を創り上げようとしていたのかについて、考えてみる必要があるものと思われる。

　『男色大鑑』をめぐる諸問題のうち、また別の課題として、前半部二〇話と後半部二〇話との間に横たわる断絶の深さをどのように捉えるのかという問題がある。作品の雰囲気があまりに異なるために、本来、別々に構想された作品を取り合わせたのではないかとさえ思われるところである。だが、あえて異なる作品群を同分量で並べて提示したところに、むしろ、西鶴の深い〈演出〉意図があったものと考えてみてはどうだろうか。以下、双面神ヤヌスのような相貌を持つ『男色大鑑』という作品に、〈演出〉をキーワードとして迫ってみることにする。

2　西鶴の自己〈演出〉

初めに、『男色大鑑』のなかに西鶴の自己〈演出〉が読み取れるということに着目してみたい。この点について、序文と巻一の一、および、後半部の西鶴らしき登場人物、の二方面から考えてみることにする。

　これまでにも『好色一代男』を例に「西鶴は半自伝風に男色をとりあげた」として「男色テーマに対する小説家西鶴の方法は、すでに明らかである」との指摘がなされている（松田、一九六七、四八ページ）。これは主に巻四の三「夢の太刀風」において、「我若年の時」とあることを指しているものと思われる。だが、『好色一代男』における衆道話のすべてが、半自伝的であると読むことはできない。この論者はおそらく、『男色大鑑』において自伝風の書き方がなされていることを念頭に置き、そこからさかのぼって『好色一代男』にその原点を求めようとしたものであろう。したがって、西鶴が男色テーマを扱う際にはすべて半自伝風である、と見なすのは早計であるように思われる。あくまでも『男色大鑑』という作品において、自伝風の書き方、すなわち、男色の道を自ら意識的に選び取る自分を〈演出〉したにすぎないのである。

❶ともに西鶴の印。上の「鶴永」は西鶴の別号。下の「松寿」は西鶴の軒号（東京大学総合図書館蔵霞亭文庫本より）。

まず、西鶴の印（❶）のある序文と巻一の一について検討してみよう。これらが、文体面でも内容面でもかなり凝った装いをしていることは、一読しただけでもすぐにわかることである。これまでの研究においても、「必要以上に激越な口調」（暉峻、一九五六、三五九ページ）、「男色讃美の口吻はむしろ商業作家としての作品の粉飾」（浅野、一九七一、一三ページ）と評され、明らかに一種の〈演出〉意図を持った文章であるということが指摘されてきた。ただし、その意図については、「江戸の読者へのサービス」（暉峻、『井原西鶴集』②、新編日本古典文学全集、「古典への招待」）というところに求められるばかりで、作品全体を覆う〈演出〉意図との関わりにおいて考えられてきたとは言いがたい。この序文と巻一の一については、すでに別の本で検討を加えたことがあるため（畑中、二〇〇九、二二五〜二四二ページ）、ここではその要点のみ記すことにする。

第一に、この序文に西鶴の印が捺されたのは、男色の道を意識的に選び取る〈我〉（この〈我〉は、その後、さまざまな姿で作品のなかに現れてくる）と西鶴自身とを強く結びつけるための〈演出〉であったと考える。第二に、巻一の一のなかに、浅草で日々講釈を行っている〈我〉と、難波でこの作品を執筆する〈我〉という二重性が見られる点に着目してみたい。浅草居住の〈我〉が、女性を忌避し、意識的に男色の道を選び取るタイプの人間像を代表しており、一見したところ、こ

郵便はがき

料金受取人払郵便

豊島局
承認

7753

差出有効期間
2021年11月
25日まで

170-8780
021

東京都豊島区巣鴨1-35-6-201

図書出版
文学通信 行

■注文書 ●お近くに書店がない場合にご利用下さい。送料実費にてお送りします。

書名	冊数
書名	冊数
書名	冊数

お名前

ご住所 〒

お電話

読者はがき

これからの本作りのために、ご意見・ご感想をお聞かせ下さい。

この本の書名

お寄せ頂いたご意見・ご感想は、小社のホームページや営業広告で利用させて頂く場合がございます（お名前は伏せます）。ご了承ください。

本書を何でお知りになりましたか

文学通信の新刊案内を定期的に案内してもよろしいですか

はい・いいえ

●上に「はい」とお答え頂いた方のみご記入ください。

お名前

ご住所 〒

お電話

メール

の価値観が全編を覆っているような印象を受ける（これを「女嫌い」と呼んでおく）。ところが、文末にさりげなく「難波浅江の藻塩草」とも書かれていることを忘れてはいけない。これは、難波江で藻塩草を「掻く」ように「書く」、つまり、大阪で執筆しているという種明かしである。浅草在住の〈我〉とは異なる〈我〉が、背後に控えているのである。これは紛れもなく西鶴その人で、後半部にたびたび登場する西鶴らしき法師姿の〈我〉にも通ずる存在である。この法師姿の〈我〉は、表面上「女嫌い」の立場を表明しながら、それを逸脱するような行動もしばしば取る人物として描かれる。あるいは、必ずしも骨の髄まで「女嫌い」ではないのかもしれない。あえて、意識的に男色の道を選んで見せている、と言ってもよさそうな存在である。

　次に、後半部の西鶴らしき登場人物についても見てみよう。巻七の五「素人絵に悪や金釘」に次のような場面がある。岡田左馬之助に誘われた〈我〉は、地引き網漁を見に堺の海岸に出掛ける。海辺で蹴鞠を楽しむ烏帽子姿の男たちの姿や、木陰に幕を張って琴の音を楽しむ風流な人々の様子などをゆかしく思い、眺めているのだが、ふと幕の内より、ものやわらかで優美な女性が一人、二人出てくるや、「恋を覚しぬ」（一瞬で恋心が冷めた）と不平を洩らす。その上で、色黒で足の太い酢蛤売りのような男でも、少年でさえあれば魅力を感じるが、女たちの姿などをよくもまあ飽きもせず平気で見ていることよ、と軽蔑しつつ「我らは男色の道を分て」行くのである。ここには、読者の目前に美女の姿を一瞬見せかけておきながら、それを否定し去り、直ちに「女嫌い」の主張を強調する、という構図が見て取れる。実は、これが『男色大鑑』のなかでたびたび繰り返されていく構図となっているのである。

すでに序文にも次のように語られていた。

下髪のむかし、当流のなげ嶋田。梅花の油くさきうき世風に、しなへる柳の腰、紅井の内具、あたら眼を汚しぬ

（昔はおすべらかしの垂らし髪、今は流行りの投げ島田まで、梅花の髪油をぷんぷん匂わせて当世風に結わせております。またはしなるような柳腰に紅の腰巻きをちらつかせるなど、もったいなくも男の目を汚すようなことばかり）

古今の美女像を色鮮やかに、香りさえも思い起こさせるほど鮮烈に読者の前に描き出しておきながら、それを慌てて否定し、「あたら眼を汚し」（もったいなくも男の目を汚し）たと悔やんでいる。あるいは、終章（巻八の五）において、大和屋甚兵衛とともに勝尾寺に参詣した〈我〉が、甚兵衛に心底惚れている娘に出会った際も、ひとたびはその美形をありありと読者の眼前に描き出し、「叶わない恋をするとはいたわしい」と述べて同情も寄せておきながら、我々は「女嫌い」の「洒脱な連中」だから、「こんな女のことなどなんとも思はない」で帰途につき、ああ嫌なものを見てしまったと言わんばかりに「女を見た目を洗い流し」て心ゆくまで禊をする。「美女の姿→ことさらに強い否定→女嫌いを象徴する行動」という構図である。これが何を伝えようとしたものであ

るかは明らかであろう。すなわち、美女が登場するたび眼はその姿を否応なく捉えてしまうが、そこに心をとらわれることをよしとせず、あえて自覚的に「男色の道」は選ぶべき、との考えである。「眼を汚しぬ」、「目を洗ひ流す」というように、「眼」(目)について、繰り返し言及があることは非常に興味深いことである。なぜなら、『男色大鑑』のなかには、なぜか多くの女性が登場し(しかも、それぞれが魅力に富んだ美女ばかりであるのは偶然ではないだろう)、その女性に視線を向けるという行為が繰り返し描かれていくからである(これについては「視線の意味」と題して、別の本で検討を加えたことがある。畑中、二〇〇九、二四九〜二五〇ページ)。また、これもすでに別の機会に指摘したことではあるが、女性を描く場面を強調するかのように、西鶴が〈我〉として物語のなかに登場してきてもいる(畑中、二〇〇五)。西鶴の自己〈演出〉とはこのように、あえて「女嫌い」を標榜する行為を強調しつつ、しかも、絶えずその背後において女性を忌避しない(むしろ女性の姿に視線が吸い寄せられていることを隠そうともしない)自らの姿を見せるという複雑さを伴うものとなっているのである。

3　彩りとしての武家衆道美談

以上に見てきたように、西鶴の自己〈演出〉が随所に読み取れるとするなら、巻一から四までの前半部とは、どのような意図のもとに、配置されたのであろうか。3では、武家衆道美談の〈演出〉効果について考えてみることにする。

もし、『男色大鑑』のダイジェスト版を作るという計画が起こり、全四〇話のなかから小説として読み応えのある話を選ぶとすれば、その大多数が前半部の武家若衆の話から選ばれることになるのではないだろうか。しかも、前半部の話ならどれでも良いというわけではない。例えば、巻一の四「玉章は鱸に通はす」、巻二の二「傘持てもぬるる身」、巻三の二「嬲ころする袖の雪」、巻三の五「色に見籠は山吹の盛」、巻四の三「待兼しは三年目の命」などが最有力候補になるであろう（これを仮にグループAと呼んでおこう）。これに対して、巻一の二「此道にいろはにほへと」、巻二の四「東の伽羅様」、巻四の一「情に沈む鸚鵡盃」、巻四の四「詠め続し老木の花の比」、巻四の五「色噪ぎは遊び寺の迷惑」などが第一候補として選ばれることは、まずないように思われる（これをグループBと呼んでおく）。なぜなら、巻一の二は「主題に一貫性のない失敗作」との烙印を押されたものであり（『井原西鶴集』②、新編日本古典文学全集、暉峻康隆頭注。もっとも、本書85〜86ページですでに指摘したように、筆者には異論がある）、巻四の一は女色の描写に筆を費やして男色については「これでも埒のあくことにぞ」と述べるにとどまるものだからである。巻四の四は衆道美談というより衆道滑稽譚であり、巻四の五が男女の婚姻で一件落着となる話であって、これも『男色大鑑』の典型とは見なされないだろう。あるいは、グループAを主要な話と位置づけた場合に、アクセントとして、グループBを時折差し挟むということはありうることかもしれない。いずれにせよ、『男色大鑑』の典型となる話として、西鶴研究者が一般読者に向けてアピールすることがあるとすれば、やはりグループAが中心となるように思われるのである。そうして、そこにさらに後半部の歌舞伎若衆の話を加えることになった場合でも、前半部での評価基準に基づいて（例えば、若衆の情が描かれた話として拡大解釈することで）良い評価の下せそうな話、例えば、巻五の二「命乞は三津寺の八幡」、巻五の二「思ひの焼付は火打石売」などが選ばれることになるものと思われる。

実は、こうした基準で選ばれた選集がすでに存在している。しかも国際的なロングセラーである。それは、英語への重訳によって今でも一定数の読者を確保しているものと思われる、ケン・サトウによるフランス語訳『男色大鑑』（原題は *Comtes d'amour des Samouraïs*『サムライの恋愛譚』）である。この訳文に多々問題があることについては、すでに別の本で指摘を行っている（畑中、二〇〇九）。とは言え、幾多の問題を含み持っているにしろ、この翻訳がサイカクの名を海外に伝えた功績は無視できない。また、それなりに興味深い内容（男色への興味が第一だとしても、それに加えて、読み物として一定の面白さを持つもの）であるとして、英仏語圏でこれまで継続して受容されてきた事実にも、やはり、意味があると認めなければならない。『男色大鑑』のなかから、多数の読者にうったえる話を選んでいたという意味で、その選択眼は確かなものであったとさえ、言うことができよう。

ところで、こうした選択基準こそ、まさしく西鶴の〈演出〉意図によって導き出されたものと見ることはできないだろうか。前半部と後半部で別々の世界を描きながらも、前半部において強烈な印象を読者に植えつけることにより、それらが『男色大鑑』の典型と目される代表的な話となるようにすること、こうした〈演出〉意図があったのではないかと思われるのである。死をも辞さない、峻烈で潔癖な生を貫いた武家若衆というテーマは、前半部の特定の話にのみ共有されているテーマであるにもかかわらず、それが、あたかも『男色大鑑』全体のテーマであるかのごとく、読者に錯覚させるということ、これこそ西鶴が本作品に仕組んだ巧妙（こうみょう）な仕掛けだったのではないだろうか。そもそも歌舞伎若衆の話と、武家若衆の話（一部に町人、寺社を含む）とを、二〇話ずつ、一見したところ同じボリュームで配置したところからして、すでに重要なたくらみを示しているものと思われる。すなわち、この二つの世界は、同等に配置するに値する複雑さと厚みとを持つ世界として、読者に印象づけることができるからである。考えてみれば、身分制社会のなかでおとしめられることもあった歌舞伎役者と、武士の身分にある若衆とが並べ置かれていること自体、かなり大胆な試みではないだろうか。[1] さすがに、歌舞伎若衆の話が前半に置かれるということはなかった。それは、武家若衆の話が終わったのちに置かれるべき話群であった。だが、同等に扱うということを西鶴はあえて実践して見せている。我々はそこに一層の注意を向けるべきだったのではないかと考える。役者の話が武家若衆の話と併置されることで、相対的に役者の存在感を高めるという効果が生じているのである。

　これについて、「歌舞伎社会の役者像と武士社会の若衆像とは共通するものがあり、歌舞伎社会の付録として武士社会も取り上げることができたのは、必然であった」と述べる論者もいる（野田、一九九〇、三五九ページ）。同程度のボリュームを持つものに対して、一方を他方の「付録」とまで呼ぶのは言い過ぎのように思われる。だが少なくとも、前半部における武家若衆像の煌めきが、一種のレフ板（映像撮影時に対象を照らす反射板）のごとくに作用し、後半部の歌舞伎若衆像を照らし出すことに効果を発揮したとは言えるだろう。つまり、役者の話を彩るという〈演出〉意図のもと、武家衆道美談が多数集められた可能性があるということである。

4　歌舞伎若衆の造型方法

次に、歌舞伎若衆の「色」（それは、容色の意だけでなく、売色の意も含む）に関する〈演出〉効果、および、西鶴の倫理意識について考えてみることにする。

ともに西鶴の作でありながら、浮世草子の『男色大鑑』と役者評判記の『難波の白は伊勢の白粉』（以下『難波の白』と略称）とでは、歌舞伎若衆の造型方法に明瞭な違いが見られるように思われる（ちなみに役者評判記とは、文字通り歌舞伎役者の評判を役者ごとに書き連ねたものを言う。技芸だけ

1　別の本においても、かつて、この点についての指摘を行ったことがある。すなわち、武家若衆の話と歌舞伎若衆の話とが（一見したところ）等分に配置された結果、相対的に歌舞伎若衆の存在感が引き上げられ、歌舞伎若衆が「社会制度外の人間」（郡司、一九七七、三四ページ）であるとの認識が忘れ去られた状態で、本作品は読まれることになる、それこそが西鶴の意図したことだったのではないかとする指摘である（畑中、二〇〇九、二六六ページ）。

でなく、客あしらいの巧拙まで描き込まれている場合もある）。ここでは、それを具体的に検証するなかで、『男色大鑑』における〈演出〉意図について考えてみたい。

土田（一九六五）の考証によると、『難波の㒵』の刊年は天和三年（一六八三）正月であり、『男色大鑑』巻七の五に記されている内容は、天和三年五月二九日の出来事であると推定されるという。つまり、この両作品を構想・執筆した時期は、一部重なっていたか、少なくとも非常に近接していたということである。実際、作中に登場する役者の多くが重複している。▼2

ところが、同一の役者のことを話題にしていても、その人物の造型方法には大きな差が見られるように思われる。それが最も明瞭に浮かび上がってくる例として、岡田左馬之助についての記述を比べてみよう。

まず、『男色大鑑』巻七の五においては、地引き網漁に語り手を誘い出すことができるほど、極めて親しく交流している役者として、岡田左馬之助は登場する。この章において左馬之助の姿を最も印象づけるエピソードとは、岸に流れ着いた少年の絵姿を拾い上げ、涙を流しつつ、刺さった金釘を手ずから抜くというものである。純真でものごとに感じやすい、やや幼い印象を与える振る舞いである。これは「情け」（他者の心情にまで思いを馳せる想像力）を豊かに持ち合わせた若衆の人間的な美質を強調するものであって、この若衆に対して極めて好意的な視線からの人物造型といえる。

これに対し、『難波の㒵』での岡田左馬之助評とはどのようなものであろうか。冒頭、「仏はお

❷岡田左馬之助（『難波の㒵は伊勢の白粉』巻2、『歌舞伎評判記集成』1）

もてに剣をたづさへ内証は慈悲のはだへ也」とあり、不動明王になぞらえて紹介された岡田左馬之助は、慈悲の肌で「不滅の愛をかけてくれるがために有難」いのだとして、色を売る若衆として評価されている（愛媛近世文学研究会、六五ページ）。挿絵（❷）に描かれた左馬之助の立ち姿もしどけなく、帯を結び直しつつ、今まで床を共にしていた客のほうへ優しい顔を向けて微笑んでいる。画面の右下に描かれた枕が、描かれざる客の寝姿を暗示している。弘法大師が一刀三礼しつつ彫り上げた和泉国草部村の不動明王と同様「人きなはやりやう」であるとして、左馬之助を褒める者の言葉が引用されるが、それを遮り、褒めすぎによって若衆が慢心してはいけないと警戒する者の言葉が続く。その部分を引用してみよう。

「ただ人に笑はせて、お暮しや。そうじて子供は打つけをおむくにやつて、次第にはりを見せつけよ」と夢介が金言、耳に残る。のふ左馬之助殿、合点で御座らう。貴様はそれによくは

2　『難波の㒵』には、現存する巻二、三に計二七名の評が掲載されており、このうち一六名が『男色大鑑』に登場している。

まつたしなせぶりじや。「ヌぬらさいでもとをる物あり。それらのわけをよく告よ」と去方のことづて、たしかに届けましたぞ。

（「ただ人を笑わせてお暮らしなさい。総じて、歌舞伎若衆というのは、初対面では相手に純真無垢な印象を与えて、だんだんと気の強さを見せつけるようにしなさいよ」と言う夢介の戒めが耳に残る。なあ左馬之助殿、合点でござろう？　あなた様は、それにぴったり当てはまる振る舞いをしているんだから。「それに、濡らさなくても通るものをお持ちだ。そうした次第をよく語って聞かせなさい」とのことだぞうで、ある方の言伝てを確かに届けましたよ）

伝言の体を装ってかなり露骨な話題が繰り広げられている。話題が露骨さを増す時、ほかの人の口を借りることで、発言の責任転嫁を図るという手法は、『野郎虫』などの役者評判記にも見られるものであり、西鶴もそうした手法を取り入れたものであろう。『評判　難波の㒵は伊勢の白粉』はこの一節を次のように整理している（六五ページ）。

①全盛故の慢心から失敗しないようにとの戒め、②身のほどを考えて、人を喜ばせるように努めよとの意見、③初めはういういしく、次第に張りを持てとの若衆の心構え、④肉体的条件にも恵まれているのだから、慢心しないで大成を期せ、の四か条にまとめられる。いずれも色売る若衆としての心構えを諭したものである。

初対面の客に対しては「おむく」（お無垢、初々しいさま）な印象を与えるように振る舞い、次第に親しくなるにつれて、「張り」（意気の強さ）を見せるという客あしらいのテクニックがあからさまに示されている。しかも左馬之助は、このテクニックを完全に自分のものにしていたと評されるのである。こうした左馬之助像に基づいて『男色大鑑』を読む読者であれば、岸辺に流れ着いた呪いの絵姿を拾い上げ、涙を流して釘を一つ一つ抜くという左馬之助の姿とは、まさしく「おむく」さの〈演出〉そのものと見ることだろう（あざとさすら感じられる）。だが、『男色大鑑』の語り手は、「大やうなる取さばき、若道の本心入ぞかし」（ゆったりと落ち着いた対処の仕方で、これぞ衆道の神髄である）と評して、左馬之助の言動を手放しで讃美する。つまり、『男色大鑑』においては、左馬之助の「おむく」さが際立つようなエピソードに加えて、それをどのように捉えるべきかという判断基準まで示すという〈演出〉が施されているのである。そもそも、このエピソード自体がすでに、左馬之助を〈演出〉するフィクションかもしれないのだ。[▼3]

もう一つ別の事例として、若衆と縁の深い「蛍」にまつわる連想を見てみよう。話題をどのレベルにおいて取り扱っているのかという点で、『男色大鑑』と『難波の白』は、次元を異にしてい

3　西鶴の身辺雑記として読まれてきた『男色大鑑』後半部の記述のなかにフィクションを読み取るという視点は、つとに篠原（一九九七）の提出したものであるが、この巻七の五に関しては、その後、正木（二〇一〇）も同様の視点に立ち、「一閑坊の案内」というエピソードに「読者を楽しませようとする西鶴の工夫」が見いだせるとの指摘を行っている（四〇ページ）。

るように思われる。

『男色大鑑』のなかで「蛍」が出てくる話と言えば、章題にも「蛍」の字がある巻七の一「蛍も夜は勤免の尻」が代表的なものとなろう。太鼓持ち（色遊びの世話を焼き、宴席を盛り上げることを職業とする男）の悲哀が語られたのち、歌舞伎若衆の勤めのつらさが語られる。『男色大鑑』のなかで男色の最も否定的側面が描かれている一節とされるところである。その後、場面が変わり、明け方近くまで大鶴屋の二階座敷で呑み騒いでいた時の話に移る。室内に紛れ込んできた蛍が藤村半太夫の袖にとまる。「蛍も同じ身の上」と浄瑠璃に乗せて語る半太夫に向かい、酔客の一人が「誠にこの蛍も勤めに尻を照らしけるよ」（本当にこの蛍も、これが仕事とばかり、尻を照らしているねえ）と返す。蛍と尻の連想は、例えば俳書『毛吹草』巻五に「文字見れば尻を頭の蛍かな」（「螢」の文字は「頭」に「火」が付いていて、「頭」が「尻」のようだ）とあるように、不可分のものである。だが、ここに若衆の勤めが連想されることで、話題は一挙にきわどさを増すことになるのだ。とはいえ、『男色大鑑』では、この話題をこれ以上下卑た領域にまで落とし込むことはしない。「蛍」の古典的な連想である「打ち明けない秘めた恋心」をそのまま形にして見せたようなエピソード——墨染めの袖に蛍を隠した法師が、半太夫に想いを打ち明けないまま石垣を踏み外して亡くなる話——を展開していく。歌舞伎若衆を描くにあたり、色を売る若衆としての側面に目を向けないわけではないが、その筆致には、ある一線から先には踏み込まないという意味での「抑制」が効いていたのである。

次に『難波の㒵』における「蛍」の連想を見てみる。これは、竹中半三郎の評判の項である。竹中の「竹」から「蛍」に連想をつなげているのは、「竹打ち靡く」から「飛ぶ蛍」を連想するのに通ずる（国際日本文化研究センター「連歌連想語彙データベース」参照）。宇治の蛍見物の様子を自慢げに、しかも謡曲『頼政』を引用しつつ高尚に語り出した男がいた。ところが、これを聞かされていた相手の男が言葉を遮り、「こちらの奇抜な蛍を飛ばして聞かせよう」と言って、竹中半三郎の話題に転ずるという趣向である。この男の言葉は次のように続く。

ながれの末の竹中殿も、俺にとまらしてみや。貴様のどこやらとは違ふて、目から蛍を出さして見せう。これは悪口、まづもつてご繁盛、この末長ふ世を思や。

（流れの身の果てである竹中殿も、俺のうえにとまらせてみろ。貴様のどこやらとは違って、目から火花を散らしてみせるぜ。おっとこれは悪口を言った。まずは大人気でなによりさ。末永く活躍すると思うよ）

『評釈　難波の㒵は伊勢の白粉』の言葉を借りれば、「話は落ちるところまで落ちてしまう」のである（八〇ページ）。こうした『難波の㒵』での書きぶりを見る限り、西鶴は男色が「苦手であった」との指摘は当たらないだろう。『男色大鑑』で「生臭い追究」が行われなかったのは、苦手意識によるものではなく、十分な「抑制」を効かせながら全編を〈演出〉した結果なのである。筆者はかつて『男色大鑑』のなかに歌舞伎若衆の身分をおとしめて語る言葉がないことについて、これを西鶴の倫理意識として把握できると指摘したことがある（畑中、二〇〇九、二六五〜二六六ページ）。これとともに、若衆の「色」をどのように語るかということに関しても、『男色大鑑』という作品を創り上げるに当たっての、西鶴の倫理意識（もしくは、品位を保つ美意識）を推し量ることができるだろう。

5　隠遁志向

最後に、『男色大鑑』全編に見いだされる「隠遁志向」とも呼ぶべき傾向について触れておきたい。先に述べたように、男色の道は意識的にあえて選び取るものとして〈演出〉されているのであるが、その選択をしたがために、女性との接触から完全に隔絶された空間に、男たちは身を置くこととなる。[4]

巻一の一では、浅草の片陰で世俗と断絶した暮らしをする〈我〉が描かれ、巻一の二では、富裕な商家の長男が、家も継がずに衆道一筋に生き、手習いの師匠をほそぼそと続ける。巻二の五には、高野山もどきの女人禁制の庵を構える浪人が登場し、巻四の四には、谷中でひっそりと身を寄せ合って暮らす六〇過ぎの男二人が登場する。巻五の三には、艶隠者（市井にありながら趣味に没頭して生きる隠者）といった風貌の偏屈な火打石売りが登場し、巻五の四には、玉川主膳を軸に、次々と出家して隠遁生活に入る男女が描かれる。巻七の四には、人里離れた草庵で弘法大師と美しい若衆の図像ばかりを拝む、いまだ二二歳の出家が登場する。このように全編にわたり、隠遁生活を送る者が数多く描かれているのである。考えてみれば、終章（巻八の五）で「垢離をかく」（冷水を浴びて心身のけがれを除く）動作そのものも、神仏への祈願に当たっての「垢離の行」（水垢離）を真似たものである。身を潔斎して選び取るのが男色の道であるとの決意表明であり、やはり隠遁志向が示されていると言ってよいだろう。

一方で、女性を忌避して隠遁生活を送る男たちは、時に滑稽な姿で描き出される。女性の姿を見たくないばかりに窓を塗り塞ぐ男や（巻一の二）、軒先で雨宿りする女性たちを竹箒片手に仁王立ちで追い出す男など（巻四の四）、その極端な振る舞いが笑いをもたらしている。これを文学史的な観点から捉えるなら、すでに別の機会に指摘したように、中世のストイックな隠者のパロディということになろう（畑中、二〇〇四）。

しかしながら、この笑いは、第三者的立場からの冷笑的な笑いではないところがポイントである。強いて言うなら、自嘲気味の笑いである。なぜ、そのように言えるかというと、巻一の一

4　森耕一は『西鶴事典』の「男色」の項において、『男色大鑑』前半の主要な登場人物に共通する性格は、その境界性である」との指摘を行っている（四九七ページ）。本節は、ここから大きな示唆を得ている。森の考察は前半部に焦点を当てたものであるが、この発想は後半部にも拡大して当てはめていくことが可能であろう。「境界性」とは、生死の境界、社会の周縁など、多様な意味を含み持つ象徴性を帯びた言葉である。これに対し、本節では、「境界性」を持つ人物のなかでも、特に自発的に社会の周縁に位置することを選び、ほかの人間との接触を極力排し、男色の道一筋に生きていくタイプの登場人物に着目した。

で、浅草に住む〈我〉と難波で執筆する〈我〉が二重写しの状態で描き出されたことにより、西鶴は、ストイックに隠遁生活を送る〈我〉も、女性の姿に目を奪われがちな〈我〉も、どちらも自己の姿の一部として作中に描き出せるようになったと思われるからである。[5] 過剰な行動が招くおかしみは、序文における自己〈演出〉の滑稽さとあいまって、全編をゆるやかに覆う箍（たが）（「箍」は堅く締めるイメージがあるから「束ね紐（たばねひも）」くらいかもしれないが）の役割を果たしていると見ることさえできよう。

歌舞伎若衆の存在を相対的に引き上げる〈演出〉効果を担った前半部の武家若衆美談、倫理意識によって「色」の描写に「抑制」を加え、歌舞伎若衆の人間的な美質を強調するエピソードを語るという〈演出〉、それらの多様な話群をまとめるかのように、ゆるやかに全体を覆う滑稽さの自己〈演出〉と、それが行き着く先の隠遁志向などについて、以上考察を加えてきた。

異なる二世界の取り合わせと見なされてきた『男色大鑑』という作品は、以上のように〈演出〉をキーワードとして読むことで、ゆるやかなまとまりを形成するものとして把握することも可能ということである。

5　このようにすることで、読者が「歌舞伎役者に心酔する男たち」（男色賛美）であろうと、「女性に眼を奪われがちな男たち」であろうと、どちらのタイプであったとしても、作品に共感しやすくなるのではないか。作者としての欲が、こうした二重性を生み出したと推測することもできる。

II 現代の感性で古典を切り取る

II「現代の感性で古典を切り取る」は、『男色大鑑』以外の近世文学作品を題材にして、現代の文化状況に引きつけつつ創作のヒントを探ることを試みた第1章と、比較文学研究の手法を応用した古典文学への誘(いざな)いの実践例、および、その解説を収めた第2章からなる。

II

第1章　創作のヒントとしての古典

第1節では、『千と千尋の神隠し』にも通ずる作品構造を持つ西鶴の奇談を取り上げている。第2節は、江戸時代にすでに、現代の二次創作に通ずるような欲求を伴って創作していた作者がいたことを報告する。第3節は、同一の元ネタを加工して新たな作品を創る場合に（いわゆる「ネタ被り」の状態）、創り手の技量がありありと浮かんでくるという事例を、近世文芸のなかに求めたものである。

恐怖の空白

第1節 江戸の〈行きて帰りし物語〉――『西鶴諸国はなし』の場合――

1 「怖い」話

『西鶴諸国はなし』巻二の五「夢路の風車」は、巻三の五「行末の宝舟」とともに、典型的な異郷訪問説話として読まれている。確かにそれらは「異郷を訪れて、また帰ってくる話」である。だが、果たしてそれらは本当に定型通りの異郷訪問説話と言えるのだろうか。定石からどこか逸脱したところはないか。

また、「夢路の風車」と「行末の宝舟」を比べた場合、「前者は異郷でヒーローとなった奉行の凱旋を扱う輝かしいものだが、後者は竜宮に旅立った者たちが二度と戻ることはなかったという結末で、異郷訪問譚の内包する闇の部分を扱っている」との見方もある。[1] これについてもまた、

1 西鶴研究会編『西鶴諸国はなし』所収の藤川雅恵「異郷訪問譚のダークサイド」(「行末の宝舟」鑑賞の手引き)一一三ページ参照。

「夢路の風車」は本当に「輝かしい」ストーリーと言えるのだろうかという疑問が浮かぶ。あるいは、もしかすると、《闇》の深さは、実は「夢路の風車」のほうが「行末の宝舟」よりも格段に深いとさえ言えるのではないか。というのは、結論を先取りして言えば、「行末の宝舟」は、定石通りの異郷訪問説話だが、「夢路の風車」には、この定石を巧みに逸脱している部分が認められるからである。そして、この逸脱のなかにこそ、描かれざる、また別の《闇》が広がっていると見る。

本節で考察対象とする「夢路の風車」は、西鶴研究会編『西鶴が語る江戸のミステリー』（本書298ページ読書案内にも掲載）の巻頭に据えられている話である。この教科書は、「ミステリー」をキーワードとして、西鶴作品が含み持つ多様な謎、解明し尽くせない《闇》の探究を試みたものである。筆者も分担執筆に加わった縁で、その後も折に触れて、本書を教材として大学の講義で用いてきた。毎回の講義で、学生らと共に西鶴が仕掛けた謎の解明に（あるいはその謎をますます深く濃くすることに）挑むのは、心躍る時間でもある。そうした実践のなかで、本話は当初想定していた以上に、実は相当に「怖い」話なのではないかと考えるに至った。

以下、異郷訪問説話の型とその逸脱という点から見えてくる恐怖の空白――辺境警備の奉行を待ち受ける、思いのほか陰惨な結末――をめぐって、西鶴の他作品をも参照しつつ、その意外な「怖さ」に迫ってみることにしたい。

2　異郷訪問説話の型とその逸脱

西條（二〇〇九）は、神話学の立場から話型分析の方法を応用して、スタジオジブリ映画『千と千尋の神隠し』（宮崎駿（はやお）監督、二〇〇一年公開）がなぜ面白いのかを読み解いている。西條によれば、文字に記された世界最古の物語『ギルガメシュ叙事詩』にもある異郷訪問説話とは、世界最古の話型であり、それゆえにダイヤモンドのように完成度の高い形式を持つという（一三〜一八ページ）。つまり、作者の個性さえも超越するほどに、壊れにくい堅固な話型として存在しているということである。また、その異郷訪問説話には、大きく分けて次の四つの法則が存在するとされる[2]（二四ページ）。

第Ⅰ法則　異郷に入るときは、偶然に行く。
第Ⅱ法則　異郷での体験は、異常体験である。
第Ⅲ法則　異郷から出るときは、自分の意志で出る。
第Ⅳ法則　異郷から出た後、主人公は変化する。

2　こうした構造分析はウラジーミル・プロップ（一九八七）をはじめとして、数多く行われてきたものである。

試しにこの四つの法則を、「夢路の風車」とよく似た構造を持つ『伽婢子』巻一一の一「隠里」に当てはめて検討してみよう。[3]

まず、「第Ⅰ法則　異郷に入るときは、偶然に行く」についてはどうだろうか。立身を願う武士が、京都在住の知人を頼って播州印南（現在の兵庫県加古郡稲美町印南）から上京する。だが、この知人はすでに亡くなっており、落胆して別の知人を頼ろうと宇治に向かう道中で、日が暮れて道に迷い、来栖野の古い堂で夜を明かすこととなる。深夜、異形の者（猿の顔をして武士の装束に身を包んだ者、二〇数名）がこの堂に現れる。化け物だと察知した武士は、天井に隠れ、大将らしき者の肘を矢で射る。不意を突かれて恐怖におののいた異形の者らが退散した翌朝、点々と残る血痕を頼りに「行末を見届けばや」と跡を追う。西鶴の「夢路の風車」に登場する中心人物も武士であり、その剛胆さを強調する形で人物造型がなされているが、この『伽婢子』の中心人物も「弓馬の道に稽古の功を重ね」た強者として造型されている。剛胆さを持つゆえに（恐怖に竦むことなく近づこうとするために）異界との接点も開けていくという特徴が、両話の共通項として指摘できる。血の跡を追うと、やがて、大きな穴の淵に行き着く。ここで武士はいよいよ怪しいとは思いながら思案するうち、偶然にも雨で濡れた土がすべり、踏み外して穴のなかへと落ちていく。よって、「異郷に入るときは、偶然に行く」という第Ⅰ法則の条件は、満たされていることが確認されるだろう。

では、第Ⅱ法則はどうであろうか。洞穴の奥に宮殿があり、猿の顔をした異形の者どもが門番をしていることも異常であるが、武士が、偽りをもって異形の者を退治するという冒険もまた異常なことである。この武士は、自らを医者と偽った上、獣を仕留めるため鏃に塗る大毒を「不老不死」の薬と偽り、猿どもに飲ませ、一網打尽にするのである。また、猿にかどわかされた二人の美女と出会うことも異常（非日常）体験の一つであろう。「異郷での体験は、異常体験である」という第Ⅱ法則もまた、十分に条件を満たしていると言える。

　では、「異郷から出るときは、自分の意志で出る」という第Ⅲ法則はどうであろうか。この武士は、猿の門番に向かい、「都へ帰る道を示し給へ」と述べていることから、速やかに帰ろうとしているように思われる。また、猿の退治を終え、二人の美女から都に連れ帰ってほしいとの懇願を受けた際、人間界に立ち返る道がわからず、「いかがすべきと案じ煩ふ」さまが描かれる。ここにも、異郷を出ようとする意志が確認される。意志はあるが、方法がわからないというところで、新たな異形の者が出現する。大黒天の使者、五百歳の齢を保つ白鼠がその正体である。八百歳の齢を保つ猿どもに住み処を奪われていたが、天道が武士の手を借りて猿を滅ぼしたのだと説く。この白鼠（豚の大きさという）が武士らを人間界に送り返してくれるのである（この姿に「Pui Pui モルカー」〈テレビ東京系で二〇二一年現在放映中のパペットキャラ・アニメ〉を連想したのは筆者だけでは

3　これまでの研究において『伽婢子』「隠里」は、「夢路の風車」の直接の典拠とは見なされていない。ここでは、影響関係の有無については問わず、異郷訪問説話の型を確認する目的で、主要人物の属性（剛胆な武士）などの点で「夢路の風車」と多くの共通項を有する『伽婢子』「隠里」を、対比の材料として用いることにする。

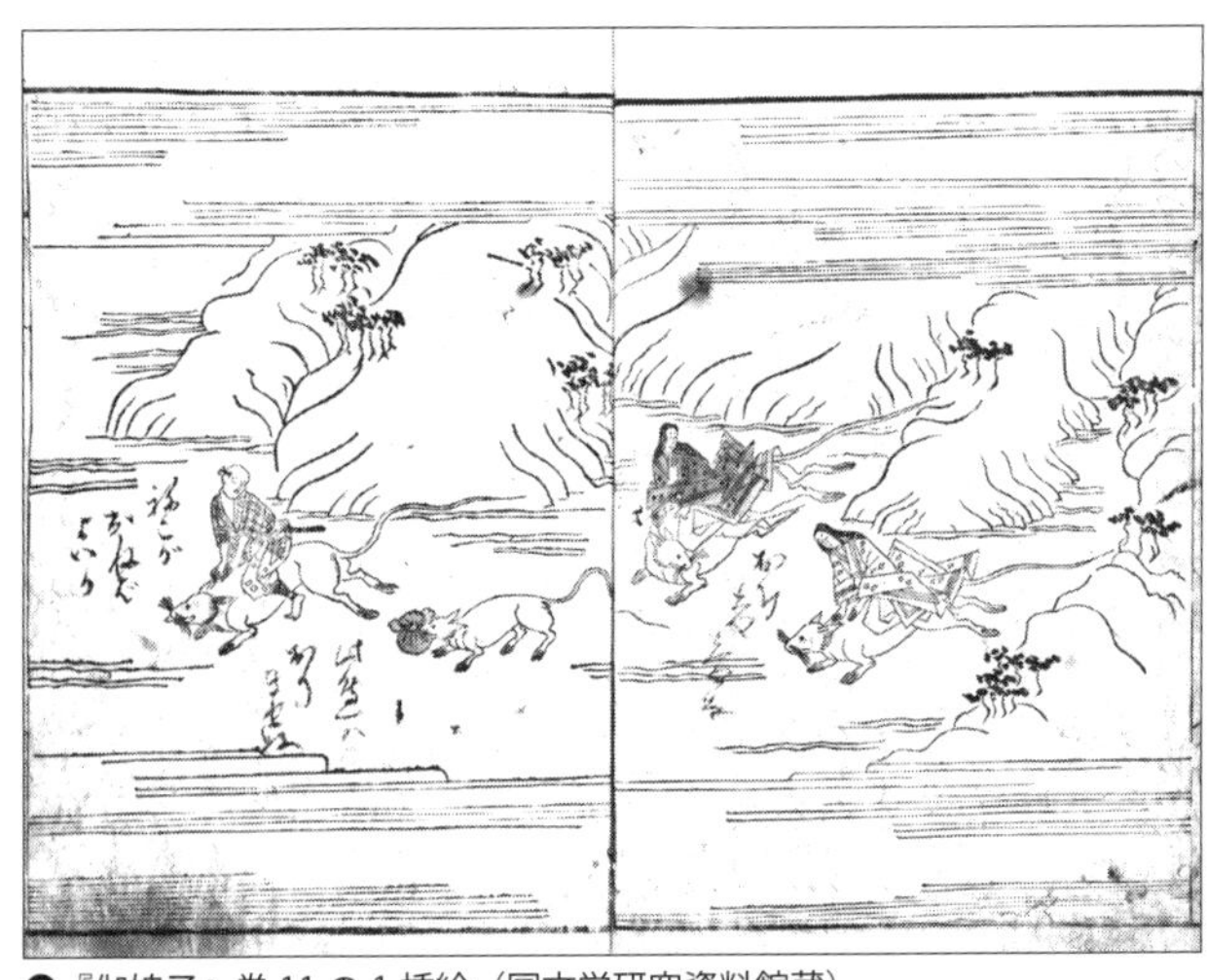

❶『伽婢子』巻11の1挿絵（国文学研究資料館蔵）

ないはず）。挿絵には、武士、二人の美女のそれぞれを背に乗せて走る鼠と、財宝を口にくわえて共に走る鼠が描かれている（❶）。よって、第三法則もまた、条件を満たしていると言えるだろう。

「異郷から出た後、主人公は変化する」という第Ⅳ法則はどうであろうか。この武士の場合、美女の親それぞれに請われて、二人とも妻に娶り、「それより武門の望をはなれ、富裕安穏の身となりぬ」という。武士としての立身出世を望んでいた者が、異郷体験を機に武士であることを放棄し、資産家となったのは、かなり大きな変化である。▼4 よって、以上の検討から、『伽婢子』巻一一の一「隠里」は、異郷訪問説話の法則に完全に当てはまる展開ということが確認されるだろう。

次に、西鶴の「夢路の風車」はどうであろうか。第Ⅰ法則に関しては、「ある時、山人の道もなき草木をわけ入るを、奉行見付て跡をしたひ行くに」とあり、偶然に見かけた「山人」（山中の住人、里人から好奇と畏怖の目で見られてきた存在）が道もないような草木の間を分けて進んでいく姿に興味を感じてその足跡をたどっていくのであるから、この時点では、法則通りである。また、峰を越え、谷間を越えて追跡した先に「おそろしき岩穴」があり、例の「山人」がここに入ったのを見届けた時、さらにそれを追うことにしたのも、「我これまで来て、この中見届けずに帰るも、侍の道にはあらず」と思い定めたためである。これは、領内の諸事情をくまなく把握しようとする使命感、未知の恐怖をも克服すべきと思う侍ゆえの克己心などが勝ったための行動と言える。決して、私利私欲に突き動かされて異郷に入ったのではない（自分で望んで行ったのではない）という点で、第Ⅰ法則にほぼ当てはまると考えて良いだろう。

異郷には「望んで行くと帰れない」という裏の法則があるという（西條、二〇〇九、六四〜六六ページ）。例えば、『千と千尋の神隠し』において、千尋の両親は、廃墟となったテーマパークを見て、「面白そうだから行ってみましょうよ」と自らの意志で近づき、無人屋台の料理を無断で大量に食し、結果として、千尋の助けなくしては帰れない豚の姿へと変わる。これに比べると、「夢路

4　『伽婢子』「隠里」の解説によると、末尾の「又五郎は後つゐに子もなく、その行がたをしらず」との一文が、原話『剪燈新話』巻三「申陽洞記」にはないものであり、作者の浅井了意が付け加えた小さな改変であるという。異郷体験がその後の人生に影を落とすという、ある種の不吉さを浅井了意は感じ取り、こうした改変を加えたものか。

の風車」の奉行の場合、個人的な利益や興味のために異郷に足を踏み入れたのではないという点で、やはり「偶然に行く」部類に入れてよいと判断される。

第Ⅱ法則については、これは、山中の岩穴の奥で金魚が泳いでいる不自然から始まり、豪華な宮殿のたたずまい、冬山に春の景色が出現する不思議、女房を二人娶る婚姻制度など、展開するすべてが異常であって、完全に当てはまる。

では、第Ⅲ法則はどうであろうか。異郷の国王に「汝この国にては命短し。急ひで古里へ帰れ」と言われれば、誰しも一刻も早く帰りたいという心境になるはずで、明示的ではないものの、ほぼ法則に合致していると考える。

問題は第Ⅳ法則である。主人公は、異郷訪問後に、果たして変化していると言えるのだろうか。多くの異郷訪問説話において主人公は、異郷を脱出した後で人間的な成長を遂げる。これは、特に童話などに顕著な展開であろう。先に検討した『伽婢子』においても、武士であった主人公が、異郷から持ち帰った財宝を元手にして暮らすことを思いつき、武士を捨てるという展開を遂げるので、確実に人生に変化が訪れていると言える。ところが、「夢路の風車」においては、何の変化も描かれていないのである。異郷脱出後の出来事は、ごく簡潔に次のように記されている。

すみなれし国に帰り、ありのままに申せば、「その所を捜し出せ」と、数百人山入りして、谷峰訪ね見れども、今に知れがたしもとの国に帰り次第、国守にすべてを報告した。その結果として数百人が手分けして山のなかをあちらこちらと探したが、今に至るまでその岩穴は見つからない。これは、「隠れ里」説話としては、当然の帰結であって、それ自体に不思議はない。二度とその場所に帰れないからこそ、「隠れ里」なのである。だがこの一節は、異郷訪問説話の法則に照らした場合、「主人公の変化」という局面が、明らかに削ぎ落とされた結末ということにならないだろうか。『伽婢子』の主人公は、異郷から財宝を持ち帰っているが、本話の主人公は、豪華な反物「から織の嶋きぬ」を褒美として異郷で受け取るところまでは記されていても、それを確かに持ち帰ったという記述はどこにも見当たらない。例えば、宮沢賢治の童話「どんぐりと山猫」では、一郎が家に帰った時、黄金のどんぐりは、「あたりまえの茶いろのどんぐり」に戻っていたという。本話では、そうした品物に付与されていた魅力の消失（あるいは通常状態への復帰）さえも、描き込まれていないのである。つまり、奉行が体験した異郷を証明できるものは、何一つないということである。そして、異郷訪問説話の法則に照らした場合に見えてくるのは、少なくとも文字の上では主人公の変化は何一つ描かれておらず、情報が欠落しているということである。これは、何を意味しているのだろう。西鶴は意図的に情報を抜いたということなのだろうか。

　それについての検討は、今しばらく保留にし、ここでもう一つ、『西鶴諸国はなし』のなかで本話と共に論じられることの多い巻三の五「行末の宝舟」についても、法則との照応関係を確認しておきたい。最初に異郷の訪問者となる「根引の勘内」という暴れ者は、諏訪湖の氷が解ける季節に、危険だと周囲の人々に止められたにもかかわらず、回り道を厭い、自分の意志で湖上を渡った挙げ句、浪の下に沈むこととなった。「望んで行くと戻れない」という法則通り、勘内は異郷にとどまる存在となる。また、勘内の語る異郷の魅力（とりわけ異郷の女たちの好色ぶり）に心惑わされた男たちもまた、望んで行った以上、決して戻れないこととなる。他方で、「命に替る程の用あり」との口実を設けて一人乗船を取りやめた男が、その後長寿を保ったという事実も、この法則を側面から補強するものとなるだろう。このように「行末の宝舟」は、見事なまでに異郷訪問説話の定石に当てはまるものとなっている。

3 「辺境警護の奉行」という人物設定

「夢路の風車」という話をさらに掘り下げて考えるために、今度は主人公の人物造型に着目してみたい。

まず、飛騨という山深い土地で辺境警護に当たる奉行としての設定を検討してみる。この「辺境警護の奉行」という位置づけは、西鶴の描いたほかの話と本話とを対比させる上で重要な手がかりとなる点であるが、これについては、後に再度触れることにしたい。

第二に、異郷への入り口となる岩穴を前にして、たじろがずにそのなかに入っていく勇気ある武士の姿も押さえておきたい。先に検討したように、ここには、領内の諸事情をくまなく把握しておくべき立場にある奉行としての使命感と、未知の恐怖をも克服すべきと考える、侍ゆえの克己心が読み取れる。

第三に、異郷で夢枕に立った、「首」だけで胴体のない女商人二人の訴えを聞き、証拠を問い質した上で実際に女性たちの遺体を発見し、谷鉄という男の不正について「国守」に報告して殺人事件を解決するという点に、武士としての剛胆さ、冷静沈着な判断力を見て取ることができる。

これらを総合してみるなら、この奉行は、武士としての行動力、判断力、誠実さなどの点で、非常に好意的に造型されていると言ってよいだろう。

だが、ここでさらに踏み込んで考えてみるべきことは、異郷が人間の深層心理の投影ともなっているということである。自らの剛胆さに自信をもつ武士は、異郷において、不正を暴き、手柄を立てる。これは、見方を変えるなら、理想的な武士像を自らにおいて体現したいという深層心理の表れと言えるのではないだろうか。そして、異郷での成功体験が、その後の武士の判断や行動、そして人生をも狂わせていくことになる。

異郷においては、夢枕に立った女性二人の言葉が、夢から覚めたのちも、ことごとく「現実」(あくまでも異郷内体験としての「現実」)において裏付けられてゆき、結果として、異郷に正義をもたらす特異な存在感を発揮する(あたかも、町人だけが存在していた世界に武士が異人として登場し、事件を解決したかのごとくである)。人の命を奪ってでも美しい絹織物を手に入れようとする、物欲に

支配された暴力的な世界において、武士としての知力・胆力が最大限に発揮されるのである。▼5

やがて、異郷から送り帰されたこの男は、現実世界において、異郷での成功体験を再現しようとするかのように、国守に「ありのままに申」し上げるという「愚行」に出る。思慮深いはずのこの奉行にしては、これは、いささか短慮に過ぎた行動であろう。「数百人山入りして、谷峰訪ね見れども、今に知れがたし」との一文に、人海戦術で是が非でも隠れ里を探し出そうとする国守の欲望が見え隠れしている。その動機は、単なる異郷への憧れなどではなく、世にも珍しい絹織物をはじめとする財宝を入手することにあるだろう。だが、隠れ里の本来の性質からして、二度とその場所を見いだすことはできない。奉行の言葉に「信」を置き、あまたの武士を動員したものの、その言葉を裏付けるものは何一つ見いだすことはできなかったのである。奉行の立場はその後、一体どうなるであろうか。

ここで再び、「辺境警護の奉行」という設定について考えてみたい。この奉行は郡奉行と呼ばれる存在であろう。▼6この話の舞台は、神岡鉱山（鉱業）と森林（林業）という天然資源に恵まれた飛騨の地である。飛騨は、慶長五年（一六〇〇）から元禄五年（一六九二）までの九三年間にわたり、三万八千石の高山藩、金森氏六代が治めていた土地である。『西鶴諸国はなし』が出版されたのは貞享二年（一六八五）、その七年後に、飛騨は幕府の直轄地となる。幕府はなぜ飛騨の土地を欲したのだろうか。表面的な理由はどうあれ、鉱山と森林という天然資源がその根底にあったことは否定できないだろう。つまり、西鶴が生きていた当時、飛騨という地は、山深く人影もまばらで、しかも、豊かな資源（金銀財宝のもと）が眠る、まさしく「隠れ里」にふさわしいイメージを宿した土地と言ってよいだろう。

ところで、「辺境警護の郡奉行」が中心人物となり、異形の者に遭遇する話は、ほかの西鶴作品にも見いだされるものである。『武道伝来記』巻二の四「命とらるる人魚の海」を次に参照してみる。

松前藩所属の、海浜警護の奉行役人・中堂金内が、ある時、鮭川と呼ばれている入り江を小舟で横切ろうとしたところ、人魚に遭遇する。船頭やほかの人々は恐怖のあまり気絶するが、ただ一人金内のみ、小型の弓を射かけ、それが命中し、人魚は波に沈んで一件落着した。その後、城下に戻り、業務報告を行った折に、金内が旅物語の一つしてこの一件を語ったところ、皆がそれは手柄だと褒めそやし、ぜひ大名に報告しようと騒ぐ。ところが、それを快く思わない青崎百右衛門という武士が、この人魚退治を偽りであるかのように言い立て、確かでないことは御前の耳には入れないほうが良いと述べる。金内の肩を持つ武士が、歴史上の怪事件を多数紹介しながら十分にあり得ることだと説得を試みるも、なお、百右衛門は嘲弄し続ける。これを伝え聞いた

5 森耕一は本話の解説「異界の夢」で、この「暴力的な世界」のことを「欲望全開の逆ユートピア」と評している（『西鶴が語る江戸のミステリー』一八ページ）。

6 『山川日本史小辞典（新版）』の「郡奉行」の項には、「江戸時代、諸藩の農政・行政を統括した役職。家老や勘定奉行の下において、宗門改・訴訟・警察・年貢徴収などの仕事を城下にある郡役所で執務する一方、郡内の巡見・巡察などを行った（以下略）」とある。

ほかの人々のなかには、金内の話を疑う者も出てきたため、金内は腹に据えかね、百右衛門を討ち果たそうと思う。だが、それでは、さらに自分が疑われるだろうと考え、その人魚を探し出し、動かぬ証拠を示した上で百右衛門を討ち果たそうと思い、鮭川のほとりで、人魚捜索に専念する（漁師を雇い、大網を引かせたほか、自身も血眼になって探し続ける）。結局、心労がたたったのか、金内はその地で絶命。金内の妻もすでに死んでいたため、あとには娘一人が残される。娘は父の後を追って死のうと駆けつけるが、誰一人それに続く使用人もなく、娘の孤独な境涯が強調される。唯一、娘の後を追って駆けつけたのは、金内の側女である鞠という女性のみであった。この二人が金内の遺骸を抱いて海に飛び込もうとしたその瞬間、殿の命によって駆けつけた武士が二人を引きとどめ、百右衛門という敵を討つようにと諭す。助太刀役の武士も付き、二人の女性が見事百右衛門を討ち果たし、百右衛門の一族は滅亡、二人の女性はそれぞれ嫁ぎ先を得るというめでたい結末が用意される。さらに五〇日を経て、金内の矢が刺さった人魚が発見され、殿の御前に差し出されて、金内は死後に侍の名をあげるということになる。

本話は、諸国の敵討ちを集めた『武道伝来記』に収められており、伝奇的興味を軸に話を展開させているものの、話の眼目は武士の名誉の失墜と回復にある。その点で、諸国の奇談を取り集めた『西鶴諸国はなし』とは、趣向の違いはあろう。だが、主要人物の設定という点に限るなら、「夢路の風車」は飛騨という辺境を警護する「奉行」であり、「命とらるる人魚の海」は、これまた松前という辺境の地を警護する「奉行」という設定で、両話は共通しているということになる。

しかも、「命とらるる人魚の海」では、歴史上、話題となった怪事件の第一の例として、「古代にも、人王十七代仁徳天皇の御時、飛騨に一身両面の人出る」との話題が語られている。これは、松前での奇談を語る西鶴が、飛騨の地における奇談を、同時に想起していたことを示すものとなるだろう。

松前という土地についても、『松前町史』を参照しつつ、さらに考察を進めてみよう。この松前藩は、安政元年（一八五四）まで近世唯一の無高の（石高がない）藩であるという。将軍からの知行は、主にアイヌ交易独占権の形をとり、上級家臣に対する知行もその独占権の分与（商場知行）となる。このほか和人地内（和人地とは、アイヌの居住する蝦夷地に対して和人の定住する地域と定めた蝦夷島の一定地域のこと）の一定の村を支配する権利や、和人地内で鮭漁をする権利、松前・蝦夷地の一定地域で鷹猟をする権利などが、上級家臣に対する知行となっていた。ここで、西鶴の話に登場する地名が「鮭川」であることを思い出してみる。諸注釈を見ても、「鮭川」は未詳とあるばかりだが、そもそもこれは、特定の地名である必要はないように思われる。松前の地において鮭漁のできる川とは、そのまま知行としての役割を果たすものである。しかも、藩主一族や家老職などの最上級家臣にのみ許された知行である。「鮭川」とは、そのまま「富の流れる川」の意となる。つまり、人魚という異形の存在に遭遇した場所とは、富の眠る場所でもあったということである。

このように考えた場合、「夢路の風車」との近似性がさらに高まるように思われる。すなわち、富の眠る山奥（飛騨の「隠れ里」）と、富の眠る「鮭川」（松前の「隠れ里」）という対応が見いだされるからである。しかも、その「隠れ里」において、異形の者を相手にしてもひるまず、剛胆さを見せることのできた者だけが、奇異な体験をする。

その一方で、「命とらるる人魚の海」の展開は、「夢路の風車」における情報の欠落を補うものとしても機能していくように思われる。情報の欠落とは、異郷訪問説話の第Ⅳ法則「異郷から出た後、主人公は変化する」が、「夢路の風車」には描かれていないという、先に検討した問題のことである。

「命とらるる人魚の海」の金内は、異形の者に遭遇しても慌てず、心静かに弓で仕留める。また、その一件を声高に自慢するでもなく、旅の四方山話の一つとして淡々と仲間に披露するような節度ある振る舞いをする、人間のできた人である。そうではあるけれども（あるいは、金内が淡々と披露したからこそ）、話題の珍奇さがかえって人々を強く刺激し、結果として、金内の発言の信憑性までが疑われ、うわさに上ることとなった。これは、「武士の一分」に関わる事態である。武士がひとたび口にした言葉は、時として命に代わるほどに重い。

そうした武士の姿を描いた西鶴が、他方で、『西鶴諸国はなし』において、珍奇な出来事の体験者に、あえて武士を置いているのである。しかも、その武士は、怪事件を体験した後、包み隠さず大名にその内容を報告している。にもかかわらず、その後、武士の言葉を裏付けるものは何一つ確認されることはなく、多勢がむなしく山野を捜索したにすぎないとなれば、この奉行に対する評価は一体どうなるであろうか。「夢路の風車」は、それについて一切触れることなく、語り終えている。だが、「命とらるる人魚の海」を〈補助線〉に用いるなら、奉行の行く末は、「命とらるる飛騨の山奥」、とでも言い換えられるものなのではないだろうか。奉行の行く末には、暗雲が立ち込めるばかりである。

4 人間ドラマの《闇》

以上のような検討を経た上で、「夢路の風車」と「行末の宝舟」とを再び比べてみるなら、「前者は異郷でヒーローとなった奉行の凱旋を扱う輝かしいもの」との見方は当てはまらないものとなってくるだろう。むしろ、異郷での成功体験によって、判断に狂いの生じた男が、現実世界においてやがて危機に瀕していくであろうことを予感させる、スリリングな話ということになる。「行末の宝舟」の抱える《闇》とはまた質を異にしながら、一層深く濃い《闇》を抱えた人間ドラマが透けて見える。西鶴の語る「ミステリー」の「怖さ」とは、かくも多面的なのである。[7]

7　講義においては、この話の「怖さ」を分析せよとの課題を出した。すると、ある学生（中国からの留学生）が、荘子の胡蝶の夢のごとく、現実と夢との区別が曖昧となること、つまり人間存在の根源的な怖さにつながる面があるという趣旨の分析を行った。非常に鋭い指摘である。そして本節は、その曖昧さが人間の命を奪う結果に結びつくところに「怖さ」を見いだそうとしたものである。

偏愛の暴走

第2節　江戸の〈二次創作〉――『風流源氏物語』の場合――

1　「現代語訳」にしては自由すぎる創作態度

都の錦（浮世草子作者、延宝三年〈一六七五〉生、没年は享保年間か）による『風流源氏物語』（元禄一六年〈一七〇三〉正月刊）は、俗解源氏（俗解とは通俗的な解釈のこと）、あるいは、俗語訳源氏の一つとされる。時には現代語訳の先駆けとして位置づけられる場合もある。[1] 確かに、江戸期の日本語に置き換えられたという意味で、現代語訳の一種と見なすことはできるだろう。だが、ひとたび現代語訳という枠組みで本作品を読み進めようとすると、違和感が生じてくることはどうして

1　シンポジウム「源氏物語を書きかえる―翻訳、註釈、翻案」（二〇一七年三月二五日、於パリ第七大学）におけるレベッカ・クレメンツ氏の報告「彼等自身の言葉で―江戸及び明治初期の『源氏物語』の訳者たち」では、本話は一種の現代語訳として扱われた。この報告をもとに執筆された論考では、さらに幅広く翻訳概念そのものの検討が行われている（クレメンツ、二〇一八）。なお、本節は、筆者がこのシンポジウムにディスカッサントとして参加した時の考察に基づいている。

も避けられない。その違和感の主たる原因は、「訳文」として読むにはあまりにも大きく原典から乖離(かいり)しているところが多々ある点に求めることができるだろう。

最もわかりやすい例は、長恨歌(ちょうごんか)への言及部分である。原典の「楊貴妃(ようきひ)の例(ためし)も引き出(ひい)づべくなりゆくに」に関して、読者の便宜(べんぎ)のため多少は詳しく長恨歌を紹介するにしても、必要最小限の分量にとどめ、速(すみ)やかにストーリーに戻るというのが、読者の期待に応える執筆態度であろう。ところが作者都の錦は、長恨歌のことを語るシーンに至るや、待ってましたとばかり滔々(とうとう)とその故事を語り続け、なんと巻をまたいでもまだ書き継いでいく。もはや読者は完全に置き去りである。いつ話が『源氏』に戻るのか、もしかしてこの話は楊貴妃を語るためのものであったのかと読者が不安を覚え始める頃、おもむろに『源氏』のストーリーに戻っていく。「現代語訳」と見なすには、あまりにも自由気ままで、読者の期待を度外視した振る舞いである。

この逸脱は、どうやら当初の編集計画をも狂わせるものであったようだ。『風流源氏物語』は全六巻で構成されており、平均的な浮世草子の体裁である。そして巻一の前に自序（作者自身が執筆した序）が付されている点も一般的な形態といえる。ところが、巻四にも自序が付されているのである（署名で別人を装ってはいるものの、文章の内容から見て自序であろう）。これは、巻一から巻三を桐壺巻(きりつぼのまき)に、巻四から巻六を帚木巻(ははきぎのまき)に当てて、それぞれが独立して読まれることにも対応できるようにとの編集方針であったことを思わせる。だが、実際はどのように仕上がったか。桐壺巻は予定していた巻三には収まり切らず、結局、巻四冒頭の三分の一を占めるに至った。巻四は「帚木」と命名されつつも、しばらくは桐壺巻を語り続けていくという、いささか不体裁なものに仕上がっている。

これはおそらく、長恨歌への熱の入れようから脱線が長引き、当初予定していた丁数（ページ数のこと）のなかに内容が収まらなくなったことを意味しているのではないだろうか。見方を変えれば、都の錦にとっては、長恨歌の内容を語ることが、全体の編集方針さえもゆがませるほどに重要であったということを意味している。『源氏』という枠組みが用意されることで、初めて長恨歌について語る必然性も生じてくる。その上で、自身が語りたいと思うことを（それが自己顕示欲を満足させるための、知識のひけらかしであったとしても）思う存分に語ったのではないかと推測される。[2]

2　作り手の「欲望」に忠実な〈二次創作〉的作品

こうした創作姿勢は、パロディ作品というよりむしろ現代の〈二次創作〉を思わせる。パロディと呼べるほどに自覚的な価値の転倒、あるいは、政治性・風刺性といった攻撃性は乏しく、

2　篠原（一九七四）は「読者を「楽しませ（娯楽性）」、「知識欲に応じ（啓蒙・教訓性）」ひいては、自分のペダンチックな欲望をも満足させるといった三位一体のトロイカ的試行は失敗に終った」と論じている（三四ページ）。都の錦の「欲望」に着目した先駆的な論考である。

あくまでも自らの好きな、あるいは得意とする世界に心ゆくまでひたっていたいという、作り手の「欲望」に極めて忠実な創作であるという点で、優れて〈二次創作〉的なのである。とは言うものの「『風流源氏物語』は都の錦の〈萌え〉が詰まった〈二次創作〉である」と言い切ってしまうには、なお検討が必要であろう。

そこで次に、都の錦自身による〈二次創作〉論とでも呼ぶべき議論を参照してみたい。これは『元禄太平記』(元禄一五年〈一七〇二〉刊)の一節である(『都の錦集』九九〜一〇〇ページ)。西鶴の文章を流用していることへの批判が、すでに当人の耳にも届いていたようで、作中で読者への反論を試みている。すなわち、自分の作品について「西鶴が詞をとり」(西鶴の言葉を盗って)と、読者の皆さんがそしっておられるのは「あやまり」だとして、根拠を示しつつ論破を試みていくのである。中国の例を並べたのち、「伊勢物語の詞をかり」て帚木巻が著わされた例や、『源氏』『枕草子』の「おもかげをうつし」て『徒然草』が作られた例があることなどを挙げ、「古きを以て新しきとするは、皆名人の所為ぞかし」と述べる。要するに、下敷きとなる文章を作り替えて新しいものとすることこそ、名人の技なのだという開き直りである。この一節で唯一実例として引用されているのが、次の二首の和歌である。業平の「起きもせず寝もせで夜を明かしては春のものとてながめ暮らしつ」(古今・恋歌三・六一六)と、藤原伊尹の「夜は覚め昼はながめに暮らされて春はこのめぞいとなかりける」(一条摂政御集・一三二)である。後者の「春は」の部分を、「春の」と取り違えたまま引用する。▼[3] この本歌取りの事例は、「古歌と新歌が相互に作用しあって美の世界がおのずと広がり出す、濃密な気分を伴った詩的空間」からは遠く（錦、一九九三、一四二ページ）、本歌の詞を圧縮して用いるなど、あくまでも詞そのものに密着した素朴な詠みぶりである。都の錦はこの例を示したのち「古人の心をとり詞をうつす」と結論づける。だが、定家は「ことばはふるきをしたひ、心はあたらしきを求め」と述べていたのではなかったか（『近代秀歌』）。都の錦の場合、「心」も「詞」も、というのであるから、「あたらしき」を希求する方向性はかなり希薄と言わねばならず、「古人の心」を尊重することにもっぱら重きをおいていたと見なすことができる。クレメンツ（二〇一一）によると、都の錦には原作への尊敬の念があるという。[4] その通りであると思われる。「古人の心をとり詞をうつす」と言って憚らない都の錦は、下敷きを有する二次的な存在であることを厭わない。むしろ下敷きに安心して身を委ね、自身の個性を最大限発揮できる部分に、書き手としてのエネルギーを注ぎ込んでいるのである。やはり、パロディというより〈二次創作〉的である（パロディの定義も諸説あるが）。

3　伊尹の歌は空蝉巻の引歌であることから、都の錦はおそらく源氏注釈の過程でこの歌に出合ったものであろう。歌意は「夜は目が覚め、昼も長雨に降りこめられてぼんやりと外を眺め暮らしていて、春は木の芽がせわしないのと同様に、この目も休まることがない」と解釈しておく。なお、詞書によれば、如月の頃に「いかにぞ」と問うたのに対して女が返したものという。

4　野口武彦が『風流源氏物語』を「パロディ」と呼ぶことにクレメンツ（二〇一一）は異を唱える。「他人の文章の特徴を真似し、その作品をからかうことによって滑稽さを増すという意味を持つ「パロディ」は厳密に言えば『風流源氏物語』に当てはめられないように思われる（中略）『源氏』に関する知識を誇る都の錦には原作に対する尊敬の念が垣間見える」（四一〜四二ページ）という。

3　『源氏』を「性的に読み替え」る

もう一つ、現代の〈二次創作〉に通底する要素がある。それは、都の錦が『源氏』を「性的に読み替え」て表現している点である。[5] 元服を控えた源氏の麗しさを形容する場面に、それが端的に表れている。[6]

> 玉の膚のつやつやと、蘭蕙の気香しく、蓮の眸あざやかに、丹菓の唇いつくしく、歯は水精のごとくにて、周のみかどの腰を抜たる茲童が昔も物かはに、生た如来と名をつけし、もろこしの薛調、宋の希逸が若衆自慢もこの者には及ばじと、秋の月を塗砥にかけ、みがき入れたる顔つき。ひかりかかれるわらは髪。柳の糸の娜に、紅の袴踏みしだき。樞姿のしほらしく。女かとみれば若衆なり。

少々解釈を加えてみる。「玉の膚」はきめ細かく艶のある若い肌、「蘭蕙」はよい香りの草で「蘭蕙の気」とは、言ってみればフラボノイドを感ずるような爽やかな息、「蓮の眸あざやかに、丹菓の唇いつくしく」は『往生要集』の「青蓮の眼、丹菓の唇」に典型的に見られる、仏の容貌の描写で、転じて美人（男女問わず）の描写の常套句である。『元禄太平記』でも都の錦は「丹花の口」との形容を用いている。[7]「歯は水精のごとく」の「水精」は「水晶」、透明感のある美しい歯である。「周のみかどの腰を抜たる慈童」とは、周第五代の穆王に仕え、菊の露を飲んで不老長寿となったという慈童を指す（能楽『菊慈童』の基にあるエピソード）。決して老いることのない仙童のみずみずしささえも物の数ではない断言することで、源氏のつややかな美を強調する。「生た如来と名をつけし、もろこしの薛調」とは、美男子で生菩薩と称された唐の薛調（八三〇～八七二）を指す（『中国学芸大事典』）。「宋の希逸」については、同じ字を持つ人物が複数いるものの、ここでは宋の段少連を指すものと解しておく。▼8「性通敏」（ものごとをよく心得ている性質）、「其の才将帥に堪ふ」（その才能は大将の任に当たることができる）と評された人物である（『大漢和辞典』）。源氏の外見上の美に、理知的な内面の美を添えた形となる。

このように過剰なまでの美辞麗句を連ねて描きあげた源氏の美とは、つまるところ、男色の対象として男たちの視線にさらされる、元服前の若衆の美なのである。「女かとみれば若衆なり」とあるように、女性に見紛うような、匂い立つばかりの美少年である。これは、江戸時代の性風俗

---

5 「二次創作」については、東（二〇〇一）が次のように定義している。「二次創作とは、原作のマンガ、アニメ、ゲームをおもに性的に読み替えて制作され、売買される同人誌や同人ゲーム、同人フィギュアなどの総称である」（四〇ページ）。

6 「日本古典籍総合目録データベース」大阪府立中之島図書館本の影印より翻刻（書誌 URL: http://dbrec.nijl.ac.jp/KTG_B_100025899）。『近世文藝叢書』第五所収の翻刻も参照している。

7 ただし、ここでは、地獄の鬼が惚れた〝絶世の鬼女〟のシュールな美を形容しているので、「丹花の口」は「脇耳まで切れている」（『都の錦集』一〇九ページ）。

8 「希逸」という字を持つ人物としてほかにも南朝宋の謝荘がいる。ただ、本文の流れが古い時代から新しい時代へと列挙しているように読めること、また、単に「宋」とあることから、謝荘ではなく段少連が該当すると考える。

のなかで、源氏を「性的に読み替え」たということではないだろうか。

4 「風流」の意味

『風流源氏物語』という題名についても掘り下げて考えてみる。従来、題名に付された「風流」の語に関しては、『源氏』の当世化・卑俗化の意と理解され、桐壺更衣を売れっ子の名妓に見立てるというような、女色の趣向ばかりが着目されてきた。だが、都の錦は女色だけでなく男色も合わせて描き込んでいたのである。「色道ふたつに寝ても覚めても」と『好色一代男』にあったように、当時の価値観からすれば、色道は女色だけで成り立つのではなく、男色も視野に収めてこそ、より完全なものとなる。『風流源氏物語』の題名は、『源氏物語』の「風流」版とも読むことができる一方で、「風流」な（つまり、華奢で美的感性の凝縮した）「源氏」の「物語」とも読めるわけである。[9] 最重要人物の元服シーンで美若衆を造型したということは、そうした読み方を促すものと言ってよいだろう。

ちなみに、女色の描写においては、かつて野口武彦をうんざりさせたごとく、露骨に下卑た表現に及んでいる都の錦であるが、[10] 男色の描写においては、美的要素が強調され、極めて観念的かつ学術的である。元来、男色物には中国故事への言及が多く、漢語表現を多く含むという特徴が見られるが（漢語・漢文に男の世界を感じ取るという感性の表れ、本書I第2章第2節「挿絵の嘘と〈演出〉」

の5参照）、都の錦の場合、さらにもう一段深く掘り下げて漢籍の知識を盛り込もうとした節がある。西鶴への対抗意識は、こうしたところにもにじみ出ているのであろう。

ただ、女色に向けて読者の期待を高めつつも、空蝉との逢瀬が極めて不首尾に終わる形で本作を語り終えているのはどうしたことであろうか。原典通り空蝉のもとにたどり着いた源氏だが、そこへ唐突に空蝉の夫伊予介が立ち現れたため、冷や汗をかきつつ源氏が几帳の陰へと隠れることになる滑稽なシーンに、読者は愕然としたことだろう（❶参照）。しかも伊予介は源氏をしかと見定めつつも、「恋しりにて情深」い人物として源氏を見逃すのである。その後も源氏はむなしく空蝉を口説き続け、ついに契ることもないまま「宝の山に入ながら手持ちぶさたに立帰」る。▼11

9 「風流」の語は極めて多義的である。例えば、『風流源氏物語』の書名に影響を及ぼした西沢一風『風流御前義経記』の「風流」も重層的とされる（井上、二〇〇六）。また、中世の芸能「風流」が異様華麗な装束を伴うことから、これを「一種の仮装行列」と呼んだ篠原（一九七四）は、そこに「やつし」や「もじり」と同種の構造を読み取った上で、「やつし」とは「享受者の心の底を流れる「変身願望」」をくすぐるものとする（二七〜二八ページ）。「女かとみれば若衆なり」と評された源氏の華奢な美もまた、人の心を浮き立たせるものとしての「風流」である。

10 「うき身は何とならざかや、此手を握りそろそろと、大事の所をなで尽し」などについて、野口（一九九五）は次のように述べている。「「ならざかや、このて」のギャグ。奈良坂には子の手柏が多生するという。古典文学でよく用いられる縁語である。都の錦は、この語句を思いきって卑猥に使っている。桐壺帝と更衣の愛の語らいの場面は、一転してポルノグラフィック・シーンになる」（二一七ページ）。

11 伊予介が立ち去った後、源氏は性懲りもなく「又かの床にしのび入」っているので、源氏と空蝉が一夜を共にしたと読むことも不可能ではない。だが、いずれにせよ、伊予介に見顕された時点ですでに源氏の不首尾は極まっている。伊予介には粋人の、源氏には執着心の強い、無粋な男の役回りが与えられているのである。

❶『風流源氏物語』伊予介の登場に驚き、身を隠す源氏（大阪府立中之島図書館蔵）

これではまるで、よくできた男、伊予介に対して、まるで取り柄のない、いかにも情けない男、源氏という構図に収まってしまうではないか。都の錦は、読者の怨嗟（えんさ）の声を想像だにしなかったのだろうか。あるいは、読者の期待をいたずらに高めておきながら、あえてその期待を裏切ってみせることで、読者に痛烈な一撃を与え、作者として溜飲（りゅういん）を下げていたのであろうか。ともあれ、読者の「欲望」よりも、書き手自身の「欲望」に忠実であった本作に、続編が生まれることはなかったのである。▼12

5　現代の文化状況のなかで

巻末で予告されていた続編が出なかったことは、商業的に見れば、失敗であろう。だが、都の錦という、極めて強い個性を持った（そして本作刊行後に投獄・脱獄・再投獄・大赦（たいしゃ）という数奇な運命をたどることになる）作者が、作り手の「欲望」に忠実な「二次創作」的な作品を世に残していることとに、着目したいと思う。「二次創作」的であることが、必ずしもネガティブな評価の対象になるとは限らない。作品を「二次的」に生み出していくことに対して肯定的であった都の錦の個性は、作り手の偏愛こそ共感を呼ぶような、あるいは誰しもが容易に読み手から作り手に変貌するような、柔軟性に富む現代の文化状況においてこそ、再評価の機会にも恵まれ得るのではと考える。

12 「巻末に「空蝉」「夕顔」「若菜」の出版予告がされるが、続編出版は実現しなかった」(川元ひとみ、『風流源氏物語』の項、『浮世草子大事典』)。

第3節　江戸の〈コピペ〉――『花実御伽硯（かじつおとぎすずり）』の場合――

ネタ被りはりトマス試験紙

1　究極の〈コピペ〉作品

創作のための材料を、ほかの人が書いた文章に求めることは、いつの時代にも行われてきたことである。その際、参照先（元ネタ）を正々堂々と示して、これを加工しましたと明かしているものもあれば、何も明かさずに使っているものもあって――さらに言うなら、その使い方も、丸ごとコピーしたものから、ほんのわずかに匂わせる程度のものまで、さまざまな段階があり――実に千差万別だ。[1] 著作権などといった考え方も存在しない江戸時代において、他者の著作の流用を読者がどう受け止めるかという問題はあるにしても（前節で触れた都の錦という作者は、西鶴の真似だとする読者の批判をかわそうとして、作中で懸命に反論を試みている）、現代に比べれば、はるかにおお

1　「どのようなテクストもさまざまな引用のモザイクとして形成され、テクストはすべて、もうひとつの別なテクストの吸収と変形にほかならない」とするバフチン以来の議論も想起されるところではある（クリステヴァ、一九八四、六一ページ）。

らかな感覚で、それを行っていたことは想像に難くない。

ここで参照する作品、『花実御伽硯』（半月庵[2]作、明和五年〈一七六八〉刊）は、そうした中でも、やや極端な事例となる。結論から言うと、作品のほとんどすべてが引用から成り立ち、それをあたかもオリジナルであるかのように装っている作品——つまりは〈コピペ〉——である[3]。

この『花実御伽硯』は、西鶴の浮世草子のように多くの読者を持つ作品ではないが、実は、江戸時代の文学史を考える際には、なかなかに重要な位置を占めている。というのは、ジャンルの境界線上にある作品だからである。従来この作品は、浮世草子というジャンルで把握されてきた[4]（浮世草子というのは、西鶴の『好色一代男』の登場と共に出現したジャンル。その後八文字屋本と呼ばれる、エンターテインメント性の高い、長編作品群が人気を博した）。だが、内容的には初期読本と言ったほうが良い（読本では上田秋成や滝沢馬琴の作品が代表格である[5]）。結局、この二つのジャンルの過渡期に位置する作品と言えるだろう。取り扱っている話題は、怪談・奇談（珍しい話）である[6]。現存する書物自体が、今のところただ一点しか見当たらないところからも、読者数はそれほど多くはなかったということが想像される。このように、世界中探してもただ一点しか存在しない本は「天下の孤本」などと呼ばれ、珍重される。この貴重な本は、現在、石川武美記念図書館成簣堂文庫に所蔵されている。この本を調査したところ、実に興味深い事実が判明したので、筆者はそれについて以前学会報告を行っており[7]、論文にもまとめている。本節は、その内容に基づきつつ、江戸の〈コピペ〉から現代の我々が何を学べるのか、それを考えるための材料を提供するものである。なお、書誌情報（本の体裁についての調査結果）など、主に研究者が必要とする情報に関しては、巻末に「補足資料」として掲載しているので、必要に応じて参照してほしい。

2　元ネタの発見

この『花実御伽硯』に粉本（元ネタ）が存在することについては、かなり以前に近藤（一九九七）が指摘している。それによると、巻三の八「猫の怪異」、巻三の九「老鼠妖」の二話に関して、写本『向燈賭話』およびその異本『秉燭奇談』が利用されているという。また、巻二の四「上総国蝮蝎塚」、巻三の七「備中国吉備津宮美女」、巻五の二「箱根の貂」の三話に関しても、粉本

2　作者半月庵については、『花実御伽硯』刊行よりも前に、宝暦九年（一七五九）、須原屋茂兵衛から『源氏双六』を刊行していることがわかっているのみである（『享保以降　江戸出版書目　新訂版』より）。

3　〈コピペ〉とは、主に大学生のレポート等における不正を端的に指摘する言葉、すなわちネット記事のコピー&ペーストの略である。

4　本作は、浮世草子研究の必須文献である長谷川（一九八四）に記載されている。

5　ちなみに「日本古典籍総合データベース」では「読本」に分類されている。

6　近世文学史のなかに新たに「奇談」という領域を設けることを提案している飯倉（二〇〇七）によれば、この『花実御伽硯』とは「まさに「奇談」書群の中に見出される」作品という（一二ページ）。「奇談」という術語の守備範囲については、なお検討が続けられている。

7　平成二八年度日本近世文学会春季大会において「『花実御伽硯』の粉本　写本『続向燈吐話』の利用について」と題する口頭発表を行った。

（元ネタ）自体の特定こそ行っていないものの、静観房好阿作『諸州奇事談』（寛延三年〈一七五〇〉刊）と同じ粉本（元ネタ）が使われている可能性を指摘している（後ほど詳しく述べる）。

そして、筆者が新たに『続向燈吐話』という粉本（元ネタ）を発見したことで、『花実御伽硯』収録の三七話すべての粉本（元ネタ）を確かめることができた。半月庵のオリジナル作品は一話もない。すべて、ほかの人が書いた話を、ところどころわずかに変え、順番などに工夫を加えて、自作として世に出したのである。そのことに対して、作者自身が、あるいは、周囲にいた別の作者らが、どのように考えていたのは不明である。ただ、江戸時代といえども、こうした事例はかなり極端な部類であろうとの推測はつく。

どの話が何をコピーしたのかという対照結果は、本書巻末の補足資料「別表1『花実御伽硯』とその粉本（元ネタ）」にまとめてあるので、興味ある方は開いて見ていただきたい。ともかく、全部の話に元ネタがあるということである。なお、この事実が判明したことにより、次のような興味深い比較を行うことが可能となった。すなわち、粉本（元ネタ）を特定したことで、同一素材を用いた別の作者の作品と比べて読むことができるようになったのである。要するに、〈ネタ被り〉の状態である。これは、実に効果的な〈リトマス試験紙〉だ。比べてみれば、両者の力量の差が歴然とするからである。仮にパン職人に喩えるなら、フランスパンを同一材料同一工程で焼き上げたにもかかわらず、新人とベテランとで、見た目の膨らみ具合はもとより、口に含んだ時の味わいにも、決定的な差が生ずるようなものである。作者の力量、あるいは、認識のありようの違いが、作品の巧拙(上手いか下手か)に決定的な違いをもたらしていることを、以下、具体例を通じて確かめていきたい。

なお、筆者の調査結果のみでは、『花実御伽硯』のジャンル分けに関する結論を導き出すことは難しいのだが(研究会で発表した折には、「それで結局、どちらなのか。浮世草子か、読本か」と性急な答えを求められて困惑したが、それに答えるには、さらに多くの情報が必要ではないかと筆者は考えている)、少なくとも、そうした考察を進めるための一材料を筆者は提供できたのだと考えている。

3 序文も〈コピペ〉

『続向燈吐話』が『花実御伽硯』の粉本(元ネタ)であるということを端的に示しているのが、序文の利用状況である。『続向燈吐話』序文がほぼ丸写しの状態で『花実御伽硯』に利用されている。いま、細かい文言は置いておいて、とりあえず、どれほど重複しているのかということだけ、ざっと確認してほしい。両書の序文全文を引用すると次のようになる。[8] 重複箇所を示すために傍線を付した(資料①参照、傍線は以下の資料でも同様に引用者によるもの)。

8 写本は文字通り、手で書き写すものであるから、細部に無数の違いが生ずることは避けられない。今ここで比較材料として手に入れた写本も、半月庵が入手した写本とは、微細な違いがあることだろう。例えば、「戯れ女」と記すか「たわれ女」と記すかなど、表記にも多少の違いがある。

資料①『続向燈吐話』と『花実御伽硯』の序文

・『続向燈吐話』（元ネタ）

虚々実々は天地の変異、実々虚々は武人の謀略。これを分てば、虚は老荘釈氏および商家の売語、たわれ女、物もらひの常談となる。孔孟より以下、恩愛の情欲、復讐の志し、節夫の馬鹿夫へ尽す心なんどを、実とはいふなるべし。その実虚の間に孕れて生れ出たる物を、奇怪の奴と号し、世人はなはだ忌みきらふ。誠に、「悪まれ子、国にはびこる」ことわざに偽りなくして、この子孫、種々にわかれて、語るにはてしなく、書き留んにいとまあらず。その一二見聞せし事跡を記し、『賭話』と名づく。今年また漏れたるをあつめて、『続吐話』を成すものは、人の耳目にあづからんにはあらず。僕虚心にして、物わすれ多きをはぢず、寸紙に写し、実々の丈夫に紛れんとする虚々なりと爾云。

元文庚申年初春　資等書

・『花実御伽硯』

虚々実々は天地の変異、実々虚々は武人の謀略。これをわかてば、虚は老荘釈および商家の売語、戯れ女、物もらひの常談となる。孔孟より以下恩愛の情欲、復讐の志し、節婦の馬鹿夫へ尽す心ならんを、実とはいふなるべし。其の実虚の間に孕れて生れ出たる物を、奇怪の奴と号し、世人甚だ忌嫌ふを、五華子と共に、昔々真赤なるを言葉に花をかざり、毫に実をいれてひとつふたつ書とむれば、五巻となる。書林のなにがし、桜木に写し、永き春の翫にせむとすすめられ、『花実御伽硯』と題して需に応ずるものならし。

花洛　半月庵主人　識

傍線部を訳してみる。

嘘のような出来事が現実に起きてしまうのが天変地異であり、目的のために嘘をつくのが、戦をする人の謀略というものだ。虚と実を分けて言うとすれば、虚とは、老子や荘子が唱えた思想のことであり、商売人のセールストークや色を売る女、物乞いなどの日常会話のことである。親子や夫婦などの恩愛や情欲、復讐を誓う心、または、バカ夫に尽くす節義ある妻の心などこそ、実と言うべきだろう。その実と虚の間に命が宿り、生まれ出たものを、奇怪なヤツと言って、世の中の人は忌み嫌う。

篠原（二〇〇四）は『花実御伽硯』の序文に関して「月並みなものとはいえ虚実論に言及した序文は、著者が一定の学識を備えた人物であることを想像させる」と述べているが、実はその「学識」とは、『花実御伽硯』の作者半月庵その人の「学識」ではなくて、その粉本『続向燈吐話』の作者に由来するものであったということである。半月庵本人が記したことと言えば、①玉華子（ぎょっかし）という人物の助力を得て、②昔話のような「虚構」に脚色を加えつつ時には「実感」も織り交ぜ（この両面が書名の「花実」に相当、すなわち、「虚構」が「花」で「実感」が「実」）、③全五巻を『花実御伽硯』と題して正月に刊行した、の三点のみである。

序文というのは、一般的に考えれば、作者の思想や個性が最もよく表れ出るところである。そうした重要な場ですら、大半を引用で済ますという作者は、本文もまた、その多くを引用で済ませているのではないかとの推測が成り立つ。果たして結果はいかであったかというと、三七話中三〇話にこの『続向燈吐話』の利用が見られたのである。すでに別の粉本（元ネタ）の存在が指摘されているものが二話（先に言及した近藤論文の成果）、また、『続向燈吐話』以外にも『新著聞集（しんちょもんじゅう）』（神谷養勇軒編、寛延二年〈一七四九〉刊）から五話利用していることを筆者が突き止めたので、結果として、三七話のすべてにおいて粉本（元ネタ）の存在していることが判明する形となった。つまり、驚くべきことに、半月庵の完全オリジナル作品は、一話もないということなのである（さすがに江戸時代においても、これはかなり珍しい部類だろう）。

4　元ネタの貸し借り

次に、半月庵が相当に深く恩恵を受けていると推測される静観房好阿（じょうかんぼうこうあ）のことに触れておきたい。

静観房好阿（以下、静観房と略す）は、談義本作者として文学史に名前が登場するくらいには有名である。静観房の記した読本『諸州奇事談』と『花実御伽硯』は、実は粉本（元ネタ）を共有している。近藤（一九九七）は、静観房好阿、奥村玉華子、橋本静話（静話房）など本所深川近辺の作者たちの間で「共同的な述作態度」が認められると指摘しているが（五〇ページ）、これは、端的に言うなら、元ネタとなる写本の貸し借りを彼らが行っていた（と推測できる）ということである。近藤が調査したのは、『向燈賭話』という写本と、その異本『秉燭奇談』である。そして、筆者が発見したのが、その続編に当たる『続向燈吐話』である。

静観房は、決して元ネタを隠してはいなかった。門人の橋本静話に跋文（あとがき）を書いてもらっているのだが、そのなかに、はっきりと元ネタの名前も、その筆者名も記されている。それによると、元ネタは『向燈賭話』という「東都の隠士、中村氏」が集め置いた文章で「正続二篇」があるという（「東都の隠士、中村氏」とは『向燈賭話』序によると「麻布の北隅」在住の中村満重を指す）。なお、近藤（一九九七）は、半月庵が序文で「玉華子と共に」と述べていることに基づいて、玉華子と静観房との間で素材提供がなされていた（つまり、玉華子の仲介を経て、静観房の参照した写本が半月庵に渡った）と推測している。なお、この推測が妥当なものであったということは、筆者が新たに発見した粉本（元ネタ）『続向燈吐話』の利用状況を整理すると、明瞭に浮かび上がってくる。というのも、本書巻末の補足資料「別表2『続向燈吐話』各話の利用状況」に示したように、半月庵は、静観房が粉本（元ネタ）として利用した章を極力避けて、あたかも〝落ち穂拾い〟

をするかのように、粉本（元ネタ）を利用していることが確認できるからである。[9]

もっとも完全に重複を避けているわけではない。意図的か、それとも確認不足のためかはわからないが、静観房とまったく同一の粉本（元ネタ）を用いて、半月庵が作品化に及んでいるケースがごくわずかに見られる。すでに近藤（一九九七）の指摘した三話（別表2の通し番号33、41、43）に加えて、新たに一話（別表2の通し番号29）において、両作者が完全に同一の粉本（元ネタ）を用いていることが調査の中で明らかとなった。二次創作などの用語で言えば、いわゆる〈ネタ被り〉の状態である。なお、静観房が元ネタをまったく隠してないのに対して、半月庵は、序文でわずかに匂わせたものの、元ネタのタイトルも、筆者名も、一切明らかにしていない。両者の態度の差は、ここに歴然としている。ともかく、このように同一のネタを別々の作者が加工した事例が判明するということは、近世文学研究の中でも比較的珍しいケースであるので、本節の後半で詳細な検討を加えてみたい。

5 元ネタを加工する技術と方法

静観房も半月庵も、ともに写本『向燈賭話』『続向燈吐話』から、なんらかの基準で複数の話を選び、それらの素材に適宜（てきぎ）加筆修正を加えて作品に仕立てている。では、その「加筆修正」、つまり「粉本（元ネタ）を加工する技術と方法」とは、いかなるものだったのだろうか。また、その技術と方法に関して、静観房と半月庵とでは、どの程度の差があったのだろうか。静観房は、自身の創作の要とも言える粉本（元ネタ）を、玉華子を通じて、惜しげもなく半月庵に提供したものと推測されるわけだが、半月庵に人気作者の座を奪われるというような懸念を抱かなかったのだろうか。これについて考えてみるために、それぞれの作者の粉本（元ネタ）加工技術を具体的に見てみることにする。

（1）静観房好阿『諸州奇事談』の場合

静観房は、写本『続向燈吐話』を加工して自身の作品『諸州奇事談』に仕立てるなかで、どのような工夫を加えているのだろうか。写本の巻頭話を例に検討を加えてみる。

まず章題に注目する。写本での題名「蕣花の内より骸出る事」というのは、いかにも実録風の題名である（実録とは、文字通り、実際に起こったことを書き留めたもの。「一、〇〇の事」などと目録で一つ書きされていることが多い）。静観房は、これを「蕣花の妖怪」と変え、端的かつ奇談集らしい彩

9　筆者が参照した写本『続向燈吐話』は全一〇巻からなるものであるが、静観房も半月庵も、なぜか利用部分が前半（巻一～五）に集中していて、後半（巻六～一〇）からの利用がごくわずかとなっている（別表2参照）。これは一体何を意味するのであろうか。例えば、静観房が入手した『続向燈吐話』の写本は、後半部分に大きく欠損があって、入手できなかったということであろうか。それとも、後半に収録されている話の大半が、この二人の作者の興味から外れる内容であったのだろうか。現状においては判然とせず、もし『続向燈吐話』の異本などが見つかれば、なんらかの手がかりが得られるかもしれないが、今後の課題とする。

りを添えて（「妖怪」というパワーワードを投入して）表現している（資料②参照）。

次に本文への導入部だが、元ネタの傍線部「岡田抄堅殿家中に」（美濃国の奉行岡田善同殿のご家中に）が『諸州奇事談』では「爰に何乃国の守の御内にや」（ここに、いずれの国守の領内のことだろうか）と改変されている。「岡田抄堅」とは、江戸初期の美濃国の奉行岡田善同（岡田将監）のことを指しているものと思われるが、静観房は、この固有名詞を削除し、特定の人物のエピソードとしてではなく、どこの国の領内かも特定できない曖昧な描き方に改変した。[10] これは刊本（出版される本）として、後日、筆禍となる（例えば、関係者から苦情が出る）ことを避けようとする配慮と見ることができるだろう。また、話の枕として、古歌に詠まれた「あさがほ」とは実は「むくげ」のことを指しているとの知識を盛り込み、やや衒学的な（知識のひけらかしを感じさせる）導入部を用意している。読者の知的好奇心を刺激するというような効果が期待できる。こうした改変から、さまざまな配慮のもと、工夫を重ねて静観房独自の作品に仕立てていくさまが確認できる。

資料②『続向燈吐話』と『諸州奇事談』の対比

- 『続向燈吐話』（元ネタ）巻一の一「蕣花の内より骸出る事」

一、岡田抄堅殿家中に、はなはだ蕣花を愛する士あり。毎秋花の頃は寝食をわすれ、更るまで、まがきに立て、つるをまとわせ、葉を直し、朝は明けざるにおき出て、花のひらくるを待ちうけては、ひとり悦び

（「朝顔の花の内より骸骨が出ること」）
一、美濃国の奉行岡田善同殿のご家中に、大変に朝顔を愛する武士がいた。毎年の秋、花が咲く頃には、寝食を忘れて、夜が更けるまで垣根のそばに立って、蔓をまとわせ、葉の向きを直し、朝は夜が明ける前に起き出して、花の開くのを待ち受けて、一人喜び）

・『諸州奇事談』巻二の四「蕣花の妖怪」

古歌によめるあさがほは、今いふ朝がほにあらず、むくげの花なり。今いふ所のあさがほは、牽牛花なり。『古今』に、けにごしとよめり。されども順『和名抄』に、牽牛子をもあさがほと訓じぬれば、いづれをも朝がほといふべし。（中略）爰に何乃国の守の御内にや。あさがほを愛して、秋毎に花の頃は、寝食をわすれ、夜は更行迄間垣に立て蔓をまとはせ、朝はいまだあけざるに起出て、花のひらくを待てひとりよろこび

（古歌に詠まれている朝顔とは、今言うところの朝顔ではなく、木槿の花のことである。今、朝顔と言っているのは、「牽牛花」と言った。『古今和歌集』で「けにごし」と読むようである。だけれど、源順

10　こうした加工方法は、写本（手書きの本）と刊本（出版された本）のどちらが先に存在していたか（刊本を用いて写本が作成された可能性が皆無と言えるのか）との問いに対する回答も、同時に示していると言えるだろう。すなわち、刊本から写本を作成する場合、どこの誰の話ともわからない話に、あえて特定の地域に住む特定の人物の名をその都度当てはめることの難しさ、不自然さが指摘できるからである。

の『和名抄』〈和名類聚抄のこと、平安中期の漢和辞書〉に「牽牛花」のことも「あさがお」と読み仮名を振っているので、どちらも「朝顔」と言うのだろう。〈中略〉ここに、いずれの国守の領内のことだろうか。朝顔を愛して、毎秋、花の頃は、寝食を忘れ、夜が更けるまで間垣の側に立って、蔓をまとわせ、朝はまだ夜が明けないうちから起き出して、花が開くのを待って、一人喜び）

（2）『花実御伽硯』の場合

次に、半月庵が同じ粉本（元ネタ）のなかの別の話を加工した事例を二話参照する（資料③）。まず一つ目は「非人姥が怨念の事」を加工した「非人姥が怨念」という話である。題名も「～の事」という、実録を思わせる部分を削除するのみで、ごく簡単な改変にとどまる。先に見た静観房の「妖怪」というパワーワードほどではなくとも、「怨念」というワードが入っているので、それなりに目をひくタイトルかもしれない。導入部では、写本で「酒井雅楽頭殿家士」（酒井忠清殿の家臣）と人名が示されている部分を「勇気さかんなる人」（勇ましく意気盛んな人）と改変し、また、「あるとき、厩橋城下の町はづれに」（ある時、江戸城下の厩橋の町外れに）と特定の土地での出来事とわかる部分を完全に削除して「ある時」とのみ表現している。この「酒井雅楽頭」とは、「厩橋」という地名もあることから、下馬将軍とも称される酒井忠清を指しているとみて良いだろう。「家士」すなわち家臣の所業とはなっているが、独裁的な権力をふるった忠清の印象もそこには重ねられているものと思われる。そうした写本の記述をすべて削除し、どこの誰の話ともまったくわからない形にして（つまり風刺性を除去して）出版したわけである。[11]

もう一話は、「弓町亡霊の事」という題を「先妻の幽霊」とした。これは静観房の命名法に倣ったようにも思われる（「蕣花の妖怪」のように五文字で、「○○の妖怪（幽霊）」という体裁であることから）。写本では「御役者、かどの九郎兵衛は、弓町に住居す。享保年中の事」（大鼓方葛野流の葛野九郎兵衛は弓町居住である。享保年間のこと）と、特定の人物名と具体的な年号の記述があるのに対して、『花実御伽硯』では「今はむかしと成けるが、ある人」（今となっては昔のことだが、ある人）というように昔話の型（「昔々あるところに」と同じ語り出し）に改変し、人物が特定されることを避けるとともに、素朴な語り方を選んでいる。ちなみに「かどの九郎兵衛」とは大鼓方葛野流の葛野九郎兵衛を指し、「弓町」とは江戸城数寄屋橋御門にほど近い、観世太夫の家などもある地区を指す。ここまで具体的に人物や土地が特定可能な記述は、やはり、刊本（出版される本）としては避けたほうが無難だったのだろう（現代の人々が、ネット上に書き込みを行う際に、あまりに個人が特定されそうな記述は避けるという、あの感覚にやや近いだろうか）。

資料③『続向燈吐話』と『花実御伽硯』の対比

・『続向燈吐話』（元ネタ）巻一の七「非人姥が怨念の事」

11　個人が特定されることを避けたほかは、大きく改変を加えることなく、粉本の記述に極めて忠実に（つまり作者半月庵の個性がほとんど発揮されることなく）作品化されていることが、こうした粉本との対照から浮かび上がる。

一、酒井雅楽頭殿家士に、自然とためしものを好ける者あり。或は刑に行はれし科人のむくろを取来りては、是を縫つづりて切るときもあり。或る時は野ぶせりの乞食、非人に銭とらせ、悦びたつを伐りふせなどして、なぐさみとしける。

あるとき、厩橋城下の町はづれに、七十に近き非人の姥、ふし居けるを

（酒井忠清殿の家臣のなかに試し斬りを好む性質の者がいる。処刑された罪人の亡骸を取ってきては、これを縫い合わせてから切る時もあれば、野宿する物乞いや非人に銭を与え、喜んで立ち上がったところを斬り伏せることなどを娯楽としていた。

ある時、江戸城下の厩橋の町外れに、七十に近い非人の老女が臥しているのを）

・『花実御伽硯』巻一の六「非人姥が怨念」

勇気さかんなる人、自然とためし物を好ける者あり。或は刑に行われし科人の骸を取きたりては、是を縫つづりて切ときも有。あるいは野ぶせりの乞食などに銭をとらせて悦び立を伐ふせなどして慰としける。

ある時、七十にちかき非人の姥ふし居けるを

（勇ましく意気盛んな人で、試し斬りを好む性質の者がいる。処刑された罪人の亡骸を取ってきて、これを縫い合わせてから切る時もあれば、野宿する物乞いや非人に銭を与え、喜んで立ち上がったところを斬り伏せることなどを娯楽としていた。

ある時七十に近い非人の老女が臥しているのを）

・『続向燈吐話』（元ネタ）巻二の一「弓町亡霊の事」

一、御役者、かどの九郎兵衛は、弓町に住居す。享保年中の事にや、妻女病死しけるが、かねて通じけんも知らず、召仕ひの女を引きあげ、後妻となしける。

ある時、この女、部屋へ入りて化粧しけるに

（大鼓方葛野流の葛野九郎兵衛は弓町居住である。享保年間のことであろうか、妻が病死したが、以前から関係があったかも知らないが、召使いの女を格上げし、後妻としていた。

ある時、この女が部屋に入って化粧していたところ）

・『花実御伽硯』巻一の八「先妻の幽霊」

今はむかしと成けるが、ある人の妻女病死しけるゆへ、兼て通じけんやしらず、召つかひの女を引あげて後の妻となしけるが、

ある時、この女部屋へ入て、化粧しけるに

（今となっては昔のことだが、ある人の妻が病死したため、以前から関係があったかは知らないが、召使いの女を格上げし、後妻にしていたが、

ある時、この女が部屋へ入って化粧していたところ）

このように『花実御伽硯』は、人名や地名等を削って、人物の特定を避ける配慮が施されてい

るが、江戸時代に出版された本のすべてが、このように人名や年代を必ず削除するというものでもない。筆者が発見した別の粉本（元ネタ）に『新著聞集』（神谷養勇軒編、寛延二年〈一七四九〉刊）があり、計五話が『花実御伽硯』に利用されていることを確認している。次に参照するのは、この『新著聞集』を粉本（元ネタ）とした『花実御伽硯』の一節である（資料④参照）。『新著聞集』もまた刊本（出版された本）であるが、「竹内市助」という人名や「延宝六年（一六七八）」といった年代を、削除することなく明記している。ところがこの一節を用いた『花実御伽硯』においては、「薩摩の国」という国名だけは残したものの、人名や年代は削除して単に「ある人」とのみ記しているのである。これは、資料③で検討した事例と同様の結果であり、固有名詞の削除ということが、『花実御伽硯』において一貫した方針であることが確認される。半月庵はおそらく、静観房の『諸州奇事談』の方針に倣ったものであろう。刊本としてすでに世の中に公表されている情報であったとしても、自身の編集過程においては、個人が特定される情報をことごとく削除していったのである。

資料④『新著聞集』と『花実御伽硯』の対比

・『新著聞集』（元ネタ）奇怪篇第一〇「形ち有体なき妖者」

薩州の家中の竹内市助といふ者、延宝六年の冬、夜ふけて他所より帰りしに、向ふより貝をふく音して来り、額にあたると覚えしに

（薩摩藩の家臣、竹内市助という者が、延宝六年〈一六七八〉の冬、夜が更けた頃にほかの場所から帰ってきた時、向こうのほうからほら貝を吹く音がしてきて、何か額に当たると思ったところ）

・『花実御伽硯』巻二の二「姿ありて身のなき物」
薩摩の国にて、ある人、冬の夜更て外より帰りしに、むかふの方より貝をふく音して来る物ひたひにあたるとおぼえ
（薩摩藩において、ある人が冬の夜更けに外より帰って来た時に、向こうの方よりほら貝を吹く音がして来る物が額に当たると思い）

6 〈リトマス試験紙〉

実は、『諸州奇事談』と『花実御伽硯』とで、完全に同一話の粉本（元ネタ）を用いている興味深い事例がある。これを読み比べてみれば、粉本の加工がどのくらい上手いのか（または下手なのか）、リトマス試験紙のように具体的に浮かび上がってくるはずである。まず、粉本（元ネタ）『続向燈吐話』巻三の八「蜘蛛の怪異の事」のあらすじを記すと、次の二点となる。

①老人どもが寄り合い、物語していた。昔、漁を好む者が、四月中旬、川辺で釣りに夢中になっ

ていると、雨蛙大の蜘蛛が水中より出て足の指に糸をかけ、草履の緒の太さになったので、傍らの切株に引きかけておくと、俄に川水が渦巻き、水底に数十人の声がして切株を根こそぎ川中へ引き込んだ。

②作り話だろうと疑う者がいたので、伊予国の者が知人の話として語った。越智郡の山奥から流れ出る滝川の岸陰で、一〇月頃、樵が寝入っていると、膝の辺りまで水中に引き入れられたが、必死で藤の蔓に取り付くと、足首にかけてあった物が外れて巨大な岩を投げ入れたような音がしたという。初め疑っていた者も不思議がった。

次に、静観房による『諸州奇事談』巻三の六「予州の河童」がどのように仕上がっているかを見てみよう（筆者翻刻、傍線は後述参照）。

伊予国越智郡の内にて、深山より流出る川の岸陰に、頃は神無月、小六月と諺にいふめる暖なる西日を受て、ある者、川岸にやすらい居て、睡りきざし、少平かなる所を幸と、ところとろと寝入けるに。いつの間にや落入けん、この河水にひざぶしの過る迄下りけるに、足首をしめて、水中へ引入けるにおどろき、目覚て、大に騒ぎ、手にあたる木の根、岩角に手をかけ、引落されじとしけるに、己が力に取つける木根、岩ともに欠て、既に川へ落入けるが、助かるべき運命にや、藤かづらの幾重ともなく、川へ生下たるに取あたりぬ。ここを大事と引合けるに、足くびへ引かけたる、手のやうなる物はづれて、水中に大盤石を投入たる音して、落入たるものあり。この男いそぎ岡へ這上り、一散に逃帰りける。これ必ず世にいふ水虎なるべし

（伊予国越智郡、深山より流れ出る川の岸辺で、十月頃のこと。十月の別名に小六月いう言葉があるようだが、そのように暖かな日に、西日を受けて、ある者が、川岸で休んでいた。眠くなり、少し平らな場所であるのを幸いと、とろとろと寝入ったところ、いつの間に陥ったのだろうか、この川の水に膝の関節を超えるあたりまで足がはまっていて、何者かが足首を締め付けて水中に引き入れているのに驚いて目を覚まし、大騒ぎして、手に当たった木の根や岩角に手を掛け、引き込まれるものかとしたところ、力を入れてつかまっていた木の根も岩も一緒に崩れて、もう川に沈むというところに、助かるはずの運命だったものか、藤蔓が幾重にも絡まって川に向かって生えているのに手が当たった。ここが大事なところと引っ張ると、足首に引っかけた手のようなものが外れて、水中に巨大な岩を投げ入れた音がして沈んでいったものがあった。この男は急いで陸へ這い上がり、逃げ帰った。これは、確かに世間にいう河太郎〈河童〉に違いない）

粉本（元ネタ）の②部分のみを利用し、蜘蛛の怪異ではなく河童の話に改変して仕立てていることがわかる。水中に人を引き込む怪異としては、海上であれば海坊主、河川であれば河童が代表格であるから、蜘蛛よりも河童のほうが読者にとっては馴染みのある展開と言える。末尾に「水虎

なるべし」（河太郎（河童）に違いない）との考察を記し、読者の解釈を方向付けている。さらに、「足首をしめて。水中へ引入ける」（何者かが足首を締め付けて水中に引き入れている）、「足くびへ引かけたる。手のやうなる物はづれて」（足首に引っかけた手のようなものが外れて）というように、身体感覚がことさらに強調されている。読者は河童の手の水かきまでも連想し、ぬめりのあるヒンヤリとした手が自らの足首をつかんで放さない感触を想像することだろう。そのような臨場感が演出されているのである（この辺りは、現代の我々が小説を書こうと試みた時に、大いに参考になる部分である）。さらには、題名に「予州」（伊予国、現在の愛媛県）という地理的な目印が加わり、諸国話としての彩りも加味されている。素材の中から適宜取捨選択し、巧みな演出も随所に施しながら、静観房は自身のオリジナリティを感じさせる作品に仕立てているのである（編集技術そのものにおいて、オリジナリティを発揮させる戦略）。読み物としての味わいも、それなりに生じていると言えるだろう。

　これに対し、半月庵の『花実御伽硯』では、どのように作品化されているであろうか。煩雑を避け、粉本（元ネタ）の①と②をほぼそのまま利用した箇所については、いまは割愛する。①と②は、人が水中に引き入れられる恐怖を語ったものとして、すでに二度も同様の話を展開したことになるのであるが、実は『花実御伽硯』はそれでもまだ不足があったと感じたものか（あるいは予定していたボリュームに足らず、埋め草が必要だったのか）、なんと、同工異曲の（見かけは違うようで実は同じ）話をもう一回繰り返しているのである。▼12 それは、次の一節である（筆者翻刻）。

又ひとりの者いふやう、備前の侍、同国の深山へ狩に行しに、ある日、得ものなく、いと不興にて、あたりを見渡し日も西山にかたぶきぬるころ、朽木の根に腰うちかけ、しばしやすらひ居けるに、大きなる蜘出きたりて、足に糸をはりて、むかふの山へ引のほり、又来りて足をまとひ、糸をひき、山へ上る。此さぶらひ、不思議にもまた面白く、此の糸をつくづく打見るに、次第にふとく成けるゆへ、心をつけて見れば見るほど段々大縄のごとく成たるを、彼こしかけたる朽木の株へ、そと引かけ置、わきへより、ためらひ見れば、何の苦もなく右の株を引たをし、地中より根びきにして、むかふの山へ引上たり。この侍もいとおそろしく思ひて早々山を下り、宿所へ帰りけるとぞ申けり

(また別の一人が言うには、備前の侍が、同国の深山へ狩りに行ったある日のこと、獲物もなくてつまらないなと辺りを見回し、日も西の山へと傾いた頃、朽ち木の根に腰を下ろしてしばらく休んでいた。そこへ大きな蜘蛛が来て、足に糸を張って、向こうの山へ糸を引きながら登り、また来ては足に糸をまとわせ、また糸を引いては山に登ることを繰り返した。この侍は、不思議に思いながらも面白いと思い、こ

12　本話が収録されている巻四には三話しか収録されておらず、一話の長さが極端に長くなっている。巻四以外に関しては、いずれも平均して八、九話を収め、一話の長さに多少のばらつきはあるものの、これほど長い話を収めた巻はない。半月庵が編集に際して何を優先させたのか、なお考察の余地がありそうである（どうしても巻四に収録したい話があって、その長さを基準に、巻四に入れるほかの話のボリュームを整えた可能性等）。

の糸をつくづく見てみると、次第に太くなっていくので、ますます注意して見ていると、だんだん大縄のようになっていったので、これを腰掛けていた朽ち木の株にそっと引っかけておき、脇から様子をうかがうと、何の苦もなくこの切株を引き倒し、地中から根のついたまま引き抜いて、向こうの山へ引き上げたのだった。この侍も、大変恐ろしく思い、早々に山を下り、家に帰ったそうだと話した）

この話は元ネタには含まれていない。また、元ネタの①②ともに水辺の怪異であるのに対して、この追加の一節は、もはや水辺の話ではない。また、元ネタも『諸州奇事談』も、話に登場する人物は「漁を好む者」や「樵（きこり）」、あるいは単に「ある者」と述べるのみであるのに対して、この『花実御伽硯』では「備前の侍」というように新たな地名が加わり、「侍」という身分の者の話へと変化を遂げている。これは、半月庵の創作なのであろうか。しかし、全編を通じて必ず粉本（元ネタ）を用いて創作している態度から推測するならば、この部分に関しても、未発見の粉本（元ネタ）の存在を完全に否定することはできないように思われる。

それはそれとして、問題は、よく似た話をなぜ『花実御伽硯』は、三度も飽きもせず繰り返したのだろうかということである（あまりに退屈ではないか！）。同種の展開を三度繰り返すというのは、昔話の話法を思わせる（「三匹の子ぶた」の例などが真っ先に浮かぶが、昔話において「三」という数字は独特のリズムをもたらすものとして重要）。半月庵が粉本に加えた改変とは、静観房のような、臨場感や読者にとってのリアリティを意識した改変とはむしろ正反対のものであり、口承文芸のような素朴さを印象づける方向へと向かっている。対読者意識（読者をいかに楽しませるかという意識）の鮮明な静観房とは、対照的と言って良いだろう。

静観房の工夫は、これらにとどまらず多岐にわたるものである。例えば、粉本（元ネタ）の『続向燈吐話』巻三の一二で、大蛇の様子を「水の渦をまくごとくに、のたうつものあり」（水が渦を巻くごとく、のたうつものがある）とした部分は、『諸州奇事談』巻二の一一では、「水のうづまくやうに、くるりくるりと巻物あり」（水が渦を巻くように、くるりくるりと巻く物がある）と書き換え、「くるりくるりと」という擬態語を織り交ぜてアクセントを添える（ちなみに、同一場面を利用している『花実御伽硯』巻二の四は「水のうつまくごとく、のた打もの有」と、ほぼ原話のまま）。また、粉本（元ネタ）には登場しない老翁を登場させ、黒焦げの大蛇の骸を前に「ひつぢやう此山の主といふべきものなり。このままに捨おくべき事にあらず」（きっとこの山の主というべき者だ。このままに捨て置くべきじゃない）と語らせて、事態を俯瞰的に捉える人物の口を借りつつ、読者に対するある種の教導（教え導くこと）を行っている（原話では、村人が口々にそのように語ったことになっており、特定の人物の言葉とはなっていない）。

さらには、こうした部分的な脚色にとどまらず、原話の結末をも変えるような（バッドエンドがハッピーエンドに！）、より踏み込んだ形の改変も見られる。『諸州奇事談』巻二の一〇「花中の鬼女」は、吉備津神社の神官が美女（実は桜鬼）に一度は心を惑わされたものの、吉備津神社の神徳に守られて、辛くも逃げ延びたという話である（原話は『続向燈吐話』巻五の二「備中国怪異の事」）。

❶『諸州奇事談』巻2の10挿絵

見開きの挿絵では、鬼女の肩を抱き寄せて鳥居をくぐろうとする神官の姿が強調されており、女色（女性との恋愛）に惑う神官のスキャンダルと読める（❶参照）。実は『花実御伽硯』も同一の話を用いているが、そこでは原話と同じく、この男が事件以後一年以上患ったのち死んだとの結末を迎える（ちなみに『花実御伽硯』では、この男の身分は明かされず、単なる「近辺の人」として登場）。こうした対比から推測するに、静観房の場合、吉備津神社の神官の身に起こった出来事（しかもいささか不名誉な出来事）に言及する以上、その神社の神徳を褒めたたえる話に改変したほうが無難（吉備津神社からの批判がかわせる）との判断がはたらいたのではないだろうか。

このほかにもごく細やかな加筆として、「真金ふく」「名にしおふ」「檜ばら」などの歌語（もしくは和歌を思わせるやや古風な言葉）が随所に盛り込まれ、文芸の香りを高める工夫が施されていることも指摘できる。これらを総合して考えるに、静観房の粉本（元ネタ）利用方法とは、さまざまな効果を計算しつつ、縦横無尽（じゅうおうむじん）に筆を加えるというものであったと言えるだろう。結果として、完全に自身の作品に仕立て直されているのである。

静観房が半月庵へ話の素材を心やすく提供したのは、創作経験の乏（とぼ）しい半月庵の力量では、自身の創作活動を脅かすような、読み応えのある作品はまず生まれないだろう、との見込みがあったということなのかもしれない。

7 〈ネタ被（かぶ）り〉に学ぶ

『花実御伽硯』は、粉本（元ネタ）の利用方法（人名や地名等の削除）や、素材の選択過程（静観房の用いた話は原則として避けて用いる）において、『諸州奇事談』の影響下にあるということが確認できた。しかし、語り口の面においては、静観房のもっていた諸特徴（和歌や故事来歴の知識のひけらかし、仏神の加護を強調する教導的な要素、動作主体の身体感覚に即して語る臨場感の演出等）の影響は受けていない。また、編集面の差異もある。『諸州奇事談』最終話は、酒を飲み過ぎて胸が破れる上総国夷隅郡（かずさのくにいすみ）の百姓の話であり、バッドエンドで作品集が締めくくられ、めでたく語り終えるという〈祝言（しゅうげん）〉の型は守られていない（江戸時代の物語は、途中でどれほど悲劇が語られても、最後はハッピーエンドで締めくくるという型を持つものが多く、西鶴をはじめとする浮世草子も例外ではない）[13]。これに対して、『花実御伽硯』最終話は、異人（不思議な術を行う人）から資金提供を受けると共に商売の秘訣（ひけつ）を伝授され、八王子で酢屋として成功する者の話となっており、浮世草子によく見られる〈祝言〉（ハッピーエンド）の型は守られている。また、三都（江戸、京都、大阪）で刊行されることにも意識が向けられている。『新著聞集』を五話ほど織り交ぜたのは、粉本（元ネタ）にはない上方（かみがた）や西国（さいごく）の話題を盛り込んで京都や大阪の読者にアピールするための工夫で、これも『諸州奇事談』とは異なる要素と言えるだろう。よって、編集過程においては、静観房の影響はやや限定的ということになる。

新たな粉本（元ネタ）発見によって、直（ただ）ちに『花実御伽硯』のジャンル分けに一つの判断が下せるというものではないだろう。だが、記述の大部分が粉本（元ネタ）の奇談集そのままであるということが明らかになった以上、少なくとも、作者の思想や認識が滲（にじ）み出す随想的な部分の乏しい作品であるということは言える。そうした随想的な部分に浮世草子的なものを感じ取る立場からすれば、やはり本作はそうした要素の乏しい作品ということになるだろう。その一方で、共通の素材を用いているにもかかわらず、編集方針において完全に静観房に追随（ついずい）したわけではないとすれば、『花実御伽硯』には、ほかにも手本とした作品があったと考えるのが自然である。『花実御伽硯』のジャンル検討に関しては、さらなる探究が必要であろう。

と、ここまで述べてきた範囲で、近世文学の研究成果としては、ひとまずのまとまりとなる。

しかし、実は、このあとに述べることが、本書においては、最も重要かもしれない。縦横無尽（じゅうおうむじん）に元ネタを改変できた静観房は、自身の筆の力に圧倒的な自信を持っている。それゆえ、元ネタの存在も明かしているし、自分が刊行した後で、その元ネタを別の作者に気前よく貸してもいるのである。これに対して、半月庵は自分に自信がなく、また、独自の文脈を創り出す力も弱い。それでも、作品を出版したいという欲望はあった。元ネタの存在は軽く匂わせる程度にとどめ、何をどのくらい使ったのかは一切明かさず、完全コピーをモザイク状に組み合わせて、それを自身の作品として世に出したのである。自信のある作者と、そうでない作者の差がここにあると言えるだろう。

[付記]

・『怪談御伽硯』(『花実御伽硯』の別名)の閲覧、および、一部翻刻をご許可くださった石川武美記念図書館に深謝する。
・『続向燈吐話』の本文は、国文学研究資料館蔵本を翻刻したが、読みやすく加工する際、勝又基/森暁子校訂版を参照している。

13 〈祝言〉をキーワードに浮世草子の考察を行った論考に、染谷(一九八五)以降の一連の論考、および、その影響下の論考などがある。

II

第2章 〈萌える〉古典

創作的な手法で筆者自ら〈萌え〉を投じて描き出した【エア（セルフ）インタビュー】（若衆文化研究会公式HP、二〇二〇年四月二五日公開の特別コラム）を再録した第1節と、その解説を収めた第2節からなる。

第1節　BLコミックス『囀る鳥は羽ばたかない』と『男色大鑑』の共通点

設定とキャラクター

1　稀代のストーリーテラー

――センセ、ここ一年くらい、ずっとハマっているBL漫画があるそうですね。何という作品ですか。

ヨネダコウ先生の『囀る鳥は羽ばたかない』（❶、大洋図書、以下『囀る』）です。2020年2月に映画『囀る鳥は羽ばたかない The clouds gather』が公開されて、今、話題になっています。読者のウエブ投票で選ばれる「ちるちるBLアワード2020」では、「シリーズ部門」第1位、「受部門」第1位、「攻部門」第2位に選ばれました。2019年5月にコミックス第6巻が出ています。あまりに深く心とらわれたので、第7巻刊行まで待てず、今は『ihr HertZ（イァハーツ）』（大洋図書）という雑誌で連載を追いかけています。

――BLファンの間では有名な作品ですが、BLになじみがない人だと、作品のことを知らない人もいると思います。改めて、どのような作品か教えてください。

もう、好き過ぎて、一言で語るのが難しい

❶『囀る鳥は羽ばたかない』第1巻表紙　© ヨネダコウ / 大洋図書

のですが……もともと、この作品に興味を持つキッカケとなった溝口彰子先生の言葉を引用すると……ヤクザの世界を「メタ的に批判し、批評する視点を持ち得」た作品で……（雲田はるこ／紗久楽さわ／溝口彰子『BL進化論 セクシュアリティの歴史、BLの未来』〈取材・構成：的場容子〉「萌えの新境地！「月代男子」」2019年11月27日公開）。[1]

——メタ？ 批評？ む、むずかしい……つまり……ヤクザを褒めたたえてるわけじゃない、ってことですか。

そう！ そうです！[2] 主人公の一人・矢代という男は——この1巻表紙の美しい人が矢代ですが——ヤクザの若頭なんですね。でも、ヤクザの世界に居続けたいと思っているわけではない。と言って、ほかに生きる道があるわけでもなく、また、若頭にまで出世したということは、それなりの才覚と後ろ盾を持っていたということでもあります。

——なんとなく、矛盾を抱えた人のようですね。

まさに！ 自己矛盾を抱えて生きる人です。そして、生い立ちゆえに、男性に抱かれることに依存する傾向があります。

——「受け」ですね。こういったタイプはMであることが多いですよね。

はい、矢代は、周囲の人間から「ドMで変態、淫乱ネコ、幹部の公衆便所」というレッテルを貼られています。

――強烈なキャッチコピー！

ええ、矢代自身が、そのように自己演出していますから。そして読者も、初めはそうした派手な惹句に目を奪われがちです。でも、次第しだいにその仮面が剥がされていって、矢代の無垢な内面が露わになっていく、そんな仕掛けがあります。

――「受け」については、イメージがつかめてきました。「攻め」はどんなタイプですか。

一見すると、矢代とは正反対の人です。矢代より11歳も若い25歳、寡黙でめったに笑うこともなく、190センチの長身で、筋骨たくましい男です。矢代も178センチと背丈はありますが、細身で上品な佇まいの男なので、二人が並ぶと体格差萌えがあります。

――近くにいたら、威圧感のありそうなタイプですね。

はい。苗字も百目鬼と言って、こわもてな感じですね。この人が付き人兼用心棒として矢代のところに来るところから、物語が動き始めます。でも、百目鬼もまた、家庭環境に事情があって、性的に不能である、という設定なのです。

1　https://cakes.mu/posts/27861（二〇二一年三月一日閲覧）

2　ここでの「メタ」の解説はあまりにシンプル過ぎて、意を尽くせていません。そもそもBLという存在自体が「ポピュラー・カルチャーの一ジャンル」であると「同時に、生産的なアクティヴィズム空間である」（溝口、二〇一五、二五四ページ）といいます。つまり、BL自体が「メタ的」なのです。溝口先生の著述を参照することで、より詳細に、この語の意味するところが了解されるでしょう。

――「淫乱」な受けに対して「性的不能」の攻め！　すごい取り合わせですね。

そこが、ヨネダ先生の素晴らしいところですね。巧みなバランス感覚であり、実は、西鶴にも通ずる感覚です。

――お、ようやく本題に近づいてきました。

はい。ヨネダ先生も西鶴も、稀代のストーリーテラーだと思います。

――稀代のストーリーテラー！　読者を惹きつけて離さない、そうした話術をお持ちだと。

ええ。情報をすべて語り尽くさず、あえて抜くことで、読者の想像力をかき立てるところも、西鶴とヨネダ先生のよく似ている点です。西鶴研究では、俳諧(はいかい)用語を転用して「ぬけ」の手法などと呼ぶことがありますが[3]、この「ぬけ」、つまり、情報の空白こそ、読者を惹きつけてやまぬものになるのですね。ヨネダ先生の場合は、「萌え」のために、あえて大切な一瞬を「抜く」ということをされています。

――そして、バランス感覚という共通項もあると。

はい。西鶴も優れたバランス感覚を発揮しています。例えば『好色五人女』の八百屋お七の話。美男の吉三郎と美女のお七の悲恋として知られていますが、西鶴の描いたお七の話は――これが、のちの時代、繰り返し演劇化されていく際の原型になるわけですが――男女の恋愛ものと言い切ってよいか、ちょっと微妙なんです。

――えっ、どういうことでしょう？

というのも、男女の悲恋だけを描くなら、お七が処刑され、花の命を散らしたところで美しく終えたほうが、話としてわかりやすいのですね。

——そうではないと？

はい、お七亡きあとの吉三郎の人生を、さらに描いていきます。しかもですね……お七とはなんの関係もない、そして……こう言ってはなんですが、お七よりもはるかに深い関係を、吉三郎と結んでいる兄分が存在していたことを、お七死後に明かしていくんですね。

——そ、それは！（ゴクリッ）

あ、あ、そんなに身を乗り出さなくても大丈夫。はい、そうです。美しい武家若衆である吉三郎には、当然のごとく、思いを交わし合った兄分がいたのですね。衆道関係です。

——じゃあ、お七は……？

そこが、吉三郎の心引き裂かれるポイントになるわけですね。江戸時代の言葉で言えば、吉三郎のなかに、女色（女性との性愛）と男色（男性との性愛）の二つが共存していたということです。

——『五人女』というタイトルなのに、ですか？

はい。そこが西鶴の面白いところでもあるし、非凡なストーリーテラーであることを示しているのだと思います。あと、その逆もありますよ。

——逆、と言いますと……。

男色文学の総本山のように思われている『男色大鑑』のことです。

——男色なのに女色、ということでしょうか？

そうです。この作品のなかにも、女色がゼ

3　「精読者には奥に秘めた棘を解読して欲しい」と考えた作者の仕掛けを「〈ぬけ〉と呼ぶ」と篠原（一九八九）が定義して以降、西鶴の手法の一つとして認識されていきました。

ロじゃないんですね。比率からいけば、さすがにわずかですが、それでも、女色がかなりエロティックに描きこまれています。あと、思っているよりはるかに多く女性たちが登場し、しかもそれらが皆、揃いも揃って美女なんですね。

――はぁ……『男色大鑑』なのに女性が出てくると……不思議な感じもしますが、それが、つまるところ西鶴のバランス感覚であると……。

はい、私はそう思っています。

2　命を差し出す「攻め」

――ところで、『囀る』と『男色大鑑』は、時代や設定の違いを超えて、実は似通った特徴があると、以前チラとお話が出たように記憶してるのですが……。

え、そんなこと、私、言いましたっけ……。

――とぼけないでください、センセ。今日はそれがうかがいたくって、こうしてインタビューの場を設けたんですから！　それをお聞かせいただかなくては、帰るわけにはまいりません（キリッ）！

わかりました、わかりました。どうか、落ち着いて……えぇっとですね。まずは、『囀る』のなかでも絶対に忘れられない重要シーンを見ていただきましょうか。まぁ、全ページが重要シーンなんですけどね……不要なコマは一つもないというのが、ファンの共通理解ですから。こちらです（❷・❸）。

――うわ!!　ハードですね！　銃口を額に突きつけてますね!!

ええ、立っているほうが矢代、腿を撃たれ

❷『囀る鳥は羽ばたかない』第６巻
p.122　© ヨネダコウ / 大洋図書

❸『囀る鳥は羽ばたかない』第６巻
p.124　© ヨネダコウ / 大洋図書

てひざまずいてるのが百目鬼です。抗争の決着をつけるべく、満身創痍(そうい)（すでに3発被弾）の矢代が単身で組長との対決に向かおうとするのですが、百目鬼が、振り捨てても振り捨てても、全力で矢代を追い続けるのですね。このシーンの直前までは付き人でした。矢代は百目鬼をカタギに戻したいと考えており、百目鬼をクビにします。それでも百目鬼は、矢代を守り抜くことが自分の使命だと寸分も疑わない……そして漢気(おとこぎ)あふれるこのセリフ「あなたを守るために使うと決めた命です」が出てくるのですね。ハアァ痺(しび)れます、クウゥ……。

3　構図の美学

――センセ、センセ、戻ってきてください。

……っ……ああ、失礼しました。ちょっと百目鬼の魅力に酔いしれてました。とにかく、この腹のくくり方が、なんとも言えずカッコいいし、愛する男の手に自分の命を委ねるなんて、百目鬼は、もうほとんど武士と言ってもいいんじゃないかと思ったんですね。剣道も得意だし、まさにサムライ……。

――サムライ、ですか。

❹『男色大鑑』巻3の5「色に見籠は山吹の盛」の挿絵

……えっ、ええ……まぁこの場面だけを見ていても、ちょっと説明が難しいので、もう一つ、ご覧に入れましょう。これは『男色大鑑』巻3の5「色に見籠は山吹の盛」の挿絵です。『男色大鑑』には美しい挿絵が多く入っていますが、そのなかでも一推しの名場面です（❹）。

――わぁ、綺麗な挿絵ですね！　しかも、座ってる男性が結構イケメン……。

そうですね……二人とも美形です。刀を手にしてるのが奥川主馬、ひざまずいて振り返っているのが、田川義左衛門（以下、義左）。主馬は、殿様付きの小姓です。当然ながら兄分を持つことは許されていません。義左は、もともとは四国一と言われた美少年でしたが、成人し、江戸に出て、挫折を味わいながらも再び武士として生きていく道筋が見えたちょうどその春に、偶然、主馬を見かけて恋に堕（お）ちるのです。一目惚れってヤツですね。以後、せっかく手に入れた地位をなげうって、ひたすら主馬のあとを追い続けるのです。

——なんと一途な！

そうですね。一途というか、盲目というか……。しかもその期間なんと三年も！　この三年という時間、ちょっと覚えておいてくださいね……。主馬は殿の参勤交代に付き従って国元と江戸とを往復します。義左はその主馬を追うので、ひたすら長旅を続けることになります。しかも、遠くから一心に見つめても、恋しい人の顔が見られるのは、年に一度あるかないかの一瞬だけ。その一瞬でも主馬が微笑んでくれさえすれば、もうそれで満足なんですね。当然ながら収入も途絶えます。しまいには物乞いにまで身を落とし、主馬の家の前で、明日をも知れぬ命になるのですよ。

——なんとまあ……最初、正直言ってこりゃあストーカーかと思いましたが、遠くから拝むだけなんて、もうほとんど、推しに全人生を捧げるオタクそのもの、って感じですね。なんだか親近感が湧いてきました！

はい。決して、近づこうとはしないのです。そしでも、さすがに主馬も気付くのですね。そして、自分に一途（いちず）な思いを寄せていること、今は物乞いにまで身を落としているが、もとは武士であったということまで見抜きます。

——なんと聡（さと）い！　美少年というだけでなくて、人の心がわかる男の子なんですね！

ええ、若衆たるもの、見た目の美しさもさることながら、それよりも重視されたのは、情けの深さです。これは、相手の心情をよくくみ取る感受性を持っているということでもあります。

――それで、なんで主馬は刀を手にしてるのですか。

はい、これは、刀の試し斬りをしようとしたところなのですよ。主馬は、殿様付きの小姓ですから、ほかの男と気軽に会うことはできない立場です。でも、物乞いにまで身を落とした男のことが気になって気になって仕方がない。それで、一計を案じ、刀の試し斬りをさせてくれと家来を通じて申し出たのですね。ただ、すぐには殺さない。まずは、義左に衣食を十分に与え、身綺麗にさせて、一〇日を経たのち、ついにその日を迎えたのです……ちなみに、主馬は三〇日を提案したのですが、義左が一〇日でよいとしたのですね。とにかく潔い男です。そして、恋しい人の手にかかって死ぬ……これ以上の死にざまはないと、一切の迷いもなく喜んで首を差しのべるのです……「私に命をくれるという言葉に嘘はないか」「どうか、お手打ちに」。そして、いよいよ白刃が閃き、義左の首に振り下ろされ……。

――あー、そこまでそこまで、私、痛いのダメで……。

あ、大丈夫ですよ。義左の首に振り下ろされた……かと思いきや、義左の首はつながったまま……実は、刃はすべてつぶしてあったのです。

――えっ、では、義左は殺されずに済んだんですか。

はい。不審に思う家来たちをすべて遠ざけたのち、主馬は義左に、あなたはもとは武士であろうと問いつめるのです。義左は、隠そうとします。いやいや、嘘をおっしゃるな。

あなたは私のことを想っていてくださったはず。と問い詰められ、ついに恋心を明かす義左。

――気持ちが一杯いっぱいになりそうですね……。

急に幸せが押し寄せると、脳内がショートしてしまうでしょうからねぇ……ちなみに、2018年の4月25日、NHK歴史秘話ヒストリア「生きた、愛した、ありのまま」で本話が紹介された時には、森川智之（としゆき）さんが義左の声を演じてくださったのですね。台本に指示のなかった息遣い（いきづか）いを森川さんのご提案で入れたとのこと。首を斬（き）られる、と思った次の瞬間、首はつながったままだとわかって、思わずフッともらした息遣いが、ものすごくリアルでした。

――それは、ぜひ見てみたいです。

ぜひぜひ。神回（かみかい）と言われ、ヒストリアで3本の指に入るほど反響があったそうですよ……で、そうしたストーリーを知った上で、改めてこの挿絵を見てみますと、刀は脇に下ろされ、二人が目と目を見交わしてますね。これは、刀の試し斬りというのが口実にすぎなかったとわかり、互いの胸の内を明かす、その瞬間を切り取ったものだということです。

――この絡み合う視線は二人の思いが通じた瞬間であると！

そういうことです。さらに、次の図をよくご覧ください（❺）。画面に対角線を引いたものなんですが、二人の視線は、対角線と見事に平行なのですよ。画面に美的効果が生まれているのですね。見れば見るほど、美しい挿絵です。

――ほんとですね！　二人の絡（から）み合う視線が

❺『男色大鑑』巻3の5「色に見籠は山吹の盛」の挿絵（加工あり）

❻『囀る鳥は羽ばたかない』第6巻 p.122（加工あり）© ヨネダコウ / 大洋図書

対角線と平行だなんて！　見ていて心地よい感じがするのは、そのためでもあるのですね。

それで、先ほどの『囀る』のコマをもう一度、見てみますと、やはり対角線が効果的に使われているのがわかります（❻）。

——ほんとだ！

しかも、受けが武器を手に優位な姿勢を取り、攻めがひざまずいて潔く自らの命を差し出す、というところまで、主馬と義左の関係性によく似てるのです。

——な、なんと！　ただ、センセ、江戸時代に攻め×受けという表現はないですよね……。

はい、もちろん。兄分と若衆ですね。今は分かりやすくBL用語で説明しました。しかも、似ているのは、実はこれだけじゃないんですよ。

——えっ、まだあるんですか。

はい。矢代は百目鬼を撃ちますが、それは命を奪うためではなく、むしろ百目鬼の命を守るための苦渋の決断だったのですね。そして、主馬も義左の首にひとたびは刃を当てますが、それは義左を、あるいは義左の心を救うための行いだったのです。つまり、主馬も義左も、相手のことしか思ってないのですね。矢代と百目鬼もそうです。見る者を凍りつかせる暴力的な振る舞いが、この上もない愛情を取り交わす仕草でもある……という点がよく似ているのです。

――……なんてエモいんでしょう！　ちょっと言葉を失いました。

4　サムライ百目鬼の原型

まだ、ありますよ。

――そうなんですか。

はい。先ほど、義左は三年の月日を費やして、主馬を追い続けるという話をしましたね。その間、義左は辛酸を舐めます。そして『囀る』の矢代と百目鬼は、この命の瀬戸際をくぐり抜けたあと、いったん離れ離れになるのですね。矢代が百目鬼を完全に遠ざけたためです。百目鬼は、まだ厳密には組員ではなく、母と妹の待つカタギの世界に戻ることも十分できたのです。でも、戻ろうとはしなかった。矢代のいる世界に、自分の意思でとどまり続け、辛い思いをしながらも、再び矢代との接点が持てる時を辛抱強く待つのです。それが、なんと四年も！

――おや、義左より一年長い！

そうなんです。愛する人のそばにいたい、でも、近づくことは許されない、という孤独な苦しい時間を辛抱強く耐え抜く根性、いとしい人に自分の命を預けて一片の悔いなしという潔さ、これらの点で、義左と百目鬼は見事に重なるのですよ。百目鬼こそは「現代に甦（よみがえ）った義左」と言ってもいいかもしれません。

——ああ、なるほど！　それで先ほどサムライとおっしゃったのですね。よくわかりました。

ここから先の説明は、やや慎重さが必要になりますが……私は別に、ヨネダ先生が西鶴を下敷きにして創作された、ということを言いたいわけではないのです……もちろん、過去にお読みになってるかもしれませんし、この話がお好きという可能性だって、ゼロではないとは思いますが。ただしそれは、使おうと意識されて使うというようなレベルのものではなくて、血肉に染み込んだエッセンスがにじみ出てきたというようなレベルでのお話だろうと思います。

——なるほど……影響関係そのものを問題にするというのではないと。

はい。それよりも、現代の読者を魅了してやまない強烈なキャラクターの、ある種の原型が『男色大鑑』にすでに登場していますよ、ということをお伝えしたいのです。つまり、『男色大鑑』には、現代の読者が萌えやエモさを感ずるような、さまざまな設定やキャラクターが、これでもかと詰め込まれてるんじゃないか、ということです。もちろん、まだ、十分に読み解けてない話もたくさんあります。

——そうなんですね。まだまだ「掘れば掘っただけ」さまざま出てくると……。

今、ウマいこと言ったと思ってません？

——えっ、バ、バレました？　まあ、ワカシュケンですから、そのあたりは……。

ええ、精鋭揃いのワカシュケンですので、その英知を結集して読み解いていけば、まだまだ、新しい発見があると思います。『JUNE』と『男色大鑑』との接点のお話も、ワカシュケンメンバーには詳しい方がいらっしゃいますので、いずれ語っていただきたいところですし、今後、丹念に調べていく必要があると思います。それによって『男色大鑑』と『囀る』とをつなぐ、より明瞭なライン、〈追う男・諦めない男〉の系譜が見えてくるかもしれません。

——それは楽しみです。ワカシュケンは、知的興奮と萌えが同時に味わえるからいいですね。

ええ、皆さん実に楽しそうですよね。好きなものについて語る、考える、というのは、やはり心楽しい時間！　心も頭も活性化されます。

——今の危機（コロナ禍）が去って、研究会が早く開けるようになるといいですね。

そうですね。まずはウエブミーティングから、でしょうか。[4]

——どうせだから、好きなお酒とおつまみを用意して。

あっ、それがいい。さっそくやりましょう！

4　その後、「ウェブミーティング」が実現し、活発に研究活動を続けています。詳細は若衆文化研究会公式HP（https://bungaku-report.com/wakashuken/）および、公式ブログ（http://someyatomo.seesaa.net/）参照（二〇二一年二月二八日閲覧）。

【付記】

・本稿のウェブ公開に当たり、『囀る鳥は羽ばたかない』の書影・本文画像の使用について、大洋図書 ihr HertZ 編集部様、及び、編集部を通じてヨネダコウ先生にも、ご了解を賜りました。心より御礼申し上げます。なお、ここに記しましたことはすべて、ヨネダ先生及び編集部としての公式の見解ではないことを、ここに申し添えます。

・また、『男色大鑑』巻三の五「色に見籠は山吹の盛」の話は、NHKEテレ「先人たちの底力　知恵泉」の「〝愛〟を止めるな！井原西鶴～人生を楽しく生きるために」回（二〇二〇年四月一四日放送）でも取り上げられたものです。その際には、BLコミカライズ版『男色大鑑　武士編』（KADOKAWA、二〇一六年）に掲載されている雁皮郎氏の「色に見籠は山吹の盛」が、本文画像と共に紹介されました。この放送については、SNS上で話題となり、『男色大鑑』への注目も再び集まっているようです。

比較文学の発想

第2節　メディアも時空も飛び越えて

1　はじめに

第1節に転載したウェブコラム（若衆文化研究会公式HP、二〇二〇年四月二五日公開）について、それを執筆した背景、メディアも時空さえも飛び越えて対比させる比較文学の発想方法、および、キャラクターや設定から〈萌える〉古典とはどのようなものか、などを語っていく。

2　趣味か研究か

筆者にとって『男色大鑑』は研究対象、考察の対象であって、趣味や嗜好(しこう)とは切り離したところに存在していた。出会いは外側からもたらされたものであり、[1]好悪(こうお)の感情などとは無縁の状態で論ずべきものであった。学問には客観性が重要であるから、それはごく当たり前のことである。

そして、そうした感覚は、実はBLに対しても全く同様であった。BLコミカライズに原作の解説執筆という形で関わって以降、BL作家の方々との交流が増え、男性同士の恋愛を描いた作品を愛好する人々とも若衆文化研究会などの場で多く出会い、自然とBL作品に親しむ機会も増えていったものの、まだこの段階では、BLはあくまでも仕事として読むものであった（『男色大鑑』と同様、趣味や嗜好とは切り離したところに存在していたということ）。そうした筆者が、初めて仕事という感覚を離れて、作品そのものにのめり込む形で触れたのがヨネダコウ氏の『囀る鳥は羽ばたかない』（大洋図書）[2]である。それゆえ、研究対象としてではなく、あくまでも一読者として、同じ作品を愛好する人々と交流を重ねつつ、趣味として楽しむところからすべては始まった。[3]だが、純粋に作品を楽しみつつも、もともと筆者自身のなかにあった関心事が（本書I第2章第2節で取り上げた挿絵の考察等）、ごく自然に、作品を読む際ににじみ出すことがあり、交流していた同好の士に気づきを披露することもたびたびあった（元来、仕事と切り離して楽しみとして存在していたものまで、結果的にこうして論述の対象としてしまうのは、これはもう研究者の性というほかない）。

　前節のコラムの核となるアイデアは、記録を確認すると、二〇二〇年二月一八日に、ごく限られた数の人に披露したのが最初である。[4]その段階ではまだ、筆者自身のなかでもそこまで掘り下げて考えていたわけではなく、コラムにするという予定もなかった。その後、若衆文化研究会のウェブ発信の方針が徐々に固まってゆき、公式ホームページやブログ等、発信のプラットホームが出来上がったことで、執筆の機会が生まれる。また、コロナ禍で対面の研究会開催が延期とな

1　卒業論文を執筆して以来、博士論文執筆に至るまでのかなり長い間、翻訳を通じて西鶴を読むという方法論に取り組んできた。そして、英訳、フランス語訳の西鶴について探っていると、必ず『男色大鑑』に行き当たる。どうやらこの作品が、英語圏、フランス語圏でのSaikaku像を左右している可能性が高いと気づいたため、この作品を徹底的に読み込むことを決めたという経緯がある。

2　隔月刊の雑誌『ihr HertZ』（イァハーツ）連載中。「Don't stay gold」（『drap』五月号、二〇〇八年三月）「漂えど沈まず、されど鳴きもせず」（『HertZ』band.32、二〇〇九年六月）を経て、二〇一一年八月（『HertZ』band.45）連載開始。コミックス一巻（二〇一三年）〜七巻（二〇二一年）。二〇二〇年二月、映画『囀る鳥は羽ばたかない The clouds gather』公開（新宿バルト9で初日公開舞台挨拶、原作者ヨネダコウ先生と牧田香織監督のトークあり）。海外でも、台湾（大ヒット、二〇二〇年公開の日本映画で興行成績第一位）、韓国、香港等で続々上映。

3　どのような作品か筆者なりに記してみる（これを語る言葉も百人百様であろうし、なんと言っても連載中の作品ゆえ、語れる範囲はやや限定的である。また、ネタバレを警戒する方々は、ここは読み飛ばしていただきたい）。

1．ヤクザの若頭矢代とその付き人兼用心棒となった百目鬼の恋が、激化する内部抗争劇の中で展開（第六巻まで）。

2．多くの男と肉体関係を持つ一方で、自身の純粋な恋心を胸の内に押し込めてきた矢代が、百目鬼と出会い、自己の変革を迫られていく（性的奔放さは一種の自傷行為で、幼少期の性的虐待に起因）。

3．矢代より一一歳下の百目鬼は、家庭内で起こった問題から心に傷を負い、性的不能の状態で矢代と出会う。刑期を終えて出所後も、感情を失ったままであったが、矢代への愛情を自覚していく中で、心身が回復していく。

また、作者ヨネダコウ氏が自作をどのように語っているかも興味深い。映画化を機に多くのインタビューが公開されたので、詳しくはそれらを参照して欲しいが、少なくとも次の三点だけは特記しておきたい。

1．「ほんとにいろんな点でメタ的な作品」（『このBLがやばい！　2020年度版』三八ページ）。これは溝口氏との対話（二〇一五年）から得た視点か（溝口、二〇一七、三二ページ）。

2．「ひとつの作品の中で、原作と二次創作の両方をやってしまいたかった」（溝口、二〇一七、三四ページ）。

3．「人を好きになるってつくづく一方的なこと」（溝口、二〇一七、二三ページ）。

4　これは『囀る鳥は羽ばたかない』第6巻ドラマCD視聴公開の告知が公式ツイートによってなされた直後のことである（@saezurutoriha、二〇二〇年二月一八日午後五時四六分ツイート）。視聴用に、まさにこのシーンが切り取られていた。筆者自身のなかで着想を得るきっかけに、アダプテーションが関わっていたということが感慨深い。ちなみに、BLCD（ドラマCD）はまさに漫画のアダプテーションそのものであり、後に映像化に際して、キャスティング等、重要な基盤となる役割を果たしたと思われる。

り、閉塞感のある状況のなかで、たとえウェブ上であっても、若衆文化研究会特有の熱気を維持したいという考えもあった。

他方、『囀る鳥は羽ばたかない』という作品にも、折から大きな飛躍の時が訪れていた。それは、二〇二〇年二月の映画公開と、それに伴う一連のイベントが三月にかけて開催されたことである。また、連載中の本編（第7巻収録部分）において、ひとたび袂を分かった主要キャラクター二人の再会が、いよいよ秒読み段階に突入していると、連載読者の誰もが思っている時期でもあった。映画化を受けてこの記事を執筆したというのではなく、結果として、さまざまな点で機が熟したということである。

3　創作的な手法

学術的な文章ではなく、読み物として楽しい記事にしたいという思いが強かったので、いわゆる論述文の体裁ではなく、インタビュー形式の記事にした。しかも、それは架空のインタビューである（質問者も回答者も筆者自身という一人二役）。この着想が生まれてきたのは、『囀る鳥は羽ばたかない』映画化に伴って、原作者ヨネダコウ氏のインタビューや、キャラクターの声を担当した新垣樽助氏と羽多野渉氏のインタビューなどが、相次いでネット上で公開されていたことが大きい。対話のリズムによって生み出されてくるものに、独特の魅力があると感じたのである。また、虚構の存在に仮託して語ることで、自由な感覚が得られることも魅力の一つだった。読者の中には、読了後もこれが本当のインタビューだと信じて疑わなかった方もあったようで、そうしたリアリティが担保された「作品」となったのであれば、何よりである。

4　発想の枠組みは比較文学

方法論として用いたのは、比較文学の発想方法、とりわけ対比研究の考え方である。▼[5] 対比研究の方法とは、次のようなものである。何らかの共通項を手がかりに、二つのテクストを対比させるもので、共通点、相違点の考察を行う。その対比の過程で、時代性、地域性、その社会の特徴、思想、作家の個性などが浮かび上がる。異なる国（異なる言語）のテクストを対比させるだけでなく、異なるメディア間での対比も、比較文学研究の守備範囲であり、対比研究の発想が応用でき

5　比較文学には、大きく二通りの方法論――影響研究と対比研究――がある。影響研究はヨーロッパ生まれで歴史的に古く、対比研究はアメリカ生まれで、影響研究への批判の中から生まれてきた。今日、こうした分類を意識することがないほどに、方法論は多岐にわたっているが。日本国内の比較文学研究では、かなり長いこと影響研究が中心となっていた。というのも、近代以降、海外の言語・文学に触れたことで日本語・日本文学が練り上げられていったという歴史的経緯があるので、研究材料に事欠かないからである。

ただ、今日のように、ネット上で瞬時に情報が共有でき、しかも、その痕跡を厳密に把握することも難しくなった現状においては、かつてのように、実証重視の影響研究というのは行いづらくなっているのが実情である。そうしたなか、対比研究の発想方法は、今後も豊かな可能性を秘めているように思われる。また、影響研究も、複数のメディア間での受容と変容を問うときに有効な発想方法である（そして、これこそがアダプテーション研究）。

ると考えた。[6]

5　対比のきっかけ

対比研究の出発点には、なんらかの共通項が必要である。

そもそも、なぜ『囀る鳥は羽ばたかない』に強く惹かれるのだろうと考えた時、たどりついた一つの答えに、語り口の方法が西鶴に似ているということがあった（コラムにも記したように、意図的に情報を抜く手法など）。やがて、バランス感覚といった類似性にも思い至る。さらに、キャラクターの造型において、抑制の中の情熱、「漢同士の魂の一対」[7]などに筆者は惹かれるところがあるが、そうした好みの素地は、実のところ『男色大鑑』で培われたのではなかったかと気づくに至る。ただしまだ、これだけでは、『男色大鑑』と対比させる作品は、『囀る鳥は羽ばたかない』でなくともよいわけで、今一つ説得力に欠ける。

コラム執筆の直接のきっかけは、やはり、構図の類似に気づいたことである。視覚的に把握できる類似性というのは、客観的な材料となり得る。また、絵画的構図（対角線の効果的な利用）が類似するのみならず、受け（若衆）が攻め（念者）に武器を構え、優位な姿勢を取っていることも類似しており、攻め（念者）が受け（若衆）に自らの命をさし出すことが、そのまま愛情表現たり得ている点まで、実によく似た構図が見いだせた。[8]それに加えて、孤独な年月にも屈しない、強靭な精神力を攻め（念者）がもっていたことも重要な共通項である。コラム執筆時は〈追う男・諦めない男〉というキーワードでこれを把握したが、若衆文化研究会第一回ウェブ発表を行った際には（二〇二〇年六月六日）、〈身を献げる男〉というキーワードを新たに掲げることとなった。「捧げる」という漢字ではなく「献げる」の字をあえて選んだのは「献身」の意を念頭においていたからである。▼9

6 〈身を献げる男〉および〈権力への対峙〉

それぞれの物語において対をなす男たちは、相手のどこに惹かれたのだろうか。百目鬼から見

6 ここで述べた対比研究の方法論の概要は、筆者が比較文学の講義を行うときに必ず参照するテキスト『比較文学の世界』の「序論　比較文学とは何か」に負うところが大きい（秋山／榎本、二〇〇五）。

7 この独特の言い回しは、「三島由紀夫とアダプテーション研究会」に筆者を招いてくださった久保田裕子氏が、研究会についての打合せの席で、宮沢賢治の『銀河鉄道の夜』などを例に挙げつつ述べた言葉である。久保田氏が「漢」の字を想定していたかは不明だが、少なくとも『囀る鳥は羽ばたかない』の矢代と百目鬼に、そして『男色大鑑』の男たちには「漢」の字を当てたい。これは、矢代さんは漢なのだと繰り返し述べてきたわにた氏@0130wanita088の影響も大きいと思われる。なお「三島由紀夫とアダプテーション研究会」については、本書「はじめに」の注3でも言及している（17ページ）。

8 この挿絵の分析については、本書146ページ参照。視線が画面の対角線と完全に平行であるため、画面全体が均整の取れた美しさを保ち、印象的である。また、刀の角度がもう一つの対角線を示唆し、二人の感情が拮抗していることを思わせる。

9 当初は、攻め（念者）だけが「身を献げ」ていると見ていたが、実はこの行為には双方向性があると気づいた。よって正確には「身を献げ合う男たち」となるだろう。

た矢代も、義左衛門から見た主馬も、第一印象では美貌に、次に人柄に惹かれたということが作品の描写から読み取れる。

矢代から見た百目鬼の第一印象は、まず「目」に強調が置かれている。雄々しい体躯や強さへの憧れもあっただろう（義理の妹が父親から受けていた性的虐待を食い止めた男として）。では、『男色大鑑』の主馬から見た義左衛門はどうだろうか、という疑問が浮かぶ。

また、矢代と百目鬼は、汚れなき無垢な心が共鳴し合う関係で（「前科持ち×淫乱ヤクザ」のカップルという表層的なカテゴライズと、二人の内面・本質が、見事なまでに相反していて、あたかも泥の中に咲く清らかな花のようなところがこの二人の共通点である）[10]、しかも、互いに欠落を補い合う関係性にある。そうした関係性は『男色大鑑』に描かれているのだろうか。『囀る鳥は羽ばたかない』におけるキャラクター設定をある種の〈梃子〉にして、『男色大鑑』のキャラクターを掘り下げてみたい。まず、先に浮かんだ疑問から取りかかろう。主馬は、義左衛門のどこに惹かれたのだろうか。そういう観点で作品を見直してみると、長旅の途中で、二人が視線を交わす瞬間がとりわけ重要であることに気づかされる。この時、主馬のことだけをひたすら見つめ続ける義左衛門の姿に、読者の注意はもっぱら向きがちであるが、実は主馬の中にも変化が起こりつつあったのではないだろうか。

三回に及ぶ参勤交代の長旅に付き従う姿は、義左衛門の思いの強さを表現するものとして印象的だが、実のところ、主馬が義左衛門に惹かれていく過程の描写でもあったのではないかと思われる。そして、義左衛門を屋敷内へ引き入れた日、主馬もまた、その身を義左衛門に献げる覚悟を固めたのではないか。義左衛門と主馬もまた、互いに身を献げ合う関係性にあると言える。

次に、欠落を補い合う関係性という観点で『男色大鑑』を見た場合には、どのようなキャラクターが浮かんでくるだろうか。本書のⅠ第1章第2節「『全訳　男色大鑑』の方法」で考察した巻二の一「形見は二尺三寸」の二人が、やはり第一に挙げられるように思われる。殿様付きの小姓・半井勝弥（なからいかつや）は、若衆としての旬（しゅん）が過ぎ、急速に輝きを失っていく哀れな存在である。殿の寵愛（ちょうあい）を失い、絶望して自害を覚悟したタイミングで、幸運にも親の敵（かたき）の存在を知り、敵討（かたきう）ちの旅へ出る。他方、事情があって浪人した片岡源介（かたおかげんすけ）は、予想外の不運に見舞われ、不本意ながら物乞いに身を落としていた。こちらも、これ以上ないほど悲惨な境遇である。言ってみればこの二人は、それぞれの人生の最暗部に陥ったタイミングで、再会を果たしたのである。京の街中で再会したその晩、二人は河原で共に過ごす。源介は自身の性欲を抑え、勝弥に添い寝をする。その時の明け行く空と賀茂川の情景の美しさについてはすでに記した（94～95ページ参照）。源介は先祖伝来の刀を勝弥に与え、以後、影身に添って（つまり勝弥のあずかり知らぬところで）勝弥を守り抜き、敵を討った勝弥を救出し、二人して危機を脱出する。アクションシーンもあり、まさに「バディもの」と呼べる展開である。無事、江戸に帰還し、勝弥と源介は晴れて兄弟分となるなど、『男色大

10　作者ヨネダコウ氏は「実は、泥水の中にあるすごくピュアなものを描いている物語です」と語っている（『ダ・ヴィンチ』二〇二〇年七月号、三九ページ）。

鑑』のなかでは数少ないハッピーエンドの話である。

また、別の観点から、『囀る鳥は羽ばたかない』と『男色大鑑』を対比させてみる。今度は、〈権力への対峙〉というキーワードを掲げてみたい。『囀る鳥は羽ばたかない』において、ヤクザとして有能な三角という男と親子の盃を交わした矢代は、そのまま三角の愛人となる。この時点で矢代は、恋愛の自由、生き方の自由を失った状態となる。また、矢代も百目鬼も、実父か義父かの差はあるにせよ、二人とも父親の呪縛があって、恋愛に踏み出すには「父」からの呪縛を乗り越える必要があった。矢代の自己矛盾（心のありようが、常に正反対のベクトルに引き裂かれている状態）の原因には、義父からの性的虐待があり、百目鬼の性的不能の原因には、実父による、義理の妹への性的虐待がある。

もっとも人は、恋愛・性愛へと踏み出していく前に、父あるいは「父」的な権威に対峙する必要があるとする考え方も他方では存在している。この〈権力への対峙〉というのは、実のところ極めて普遍性の高いテーマなのだ（河合、一九八七、特に最終章「子どもと異性」参照）。

〈権威への対峙〉という観点を投ずると、実は『男色大鑑』の一話の謎にも迫ることができる。再び、巻三の五「色に見籠は山吹の盛」の義左衛門と主馬の話に戻る。義左衛門は、殿からのお咎めもなく、出雲から江戸へ帰されるのだが、見送りの人々と兵庫で別れると、江戸に向かわず、その足で奈良県葛城山（現・かつらぎさん）の近く、榎の葉井のあったという里に向かい、その地で隠棲する。なぜ、このような行動を取ったのだろうか。江戸までの路銀（交通費）も支給されていて、二度と主馬に会うつもりもないなら、素直に江戸に戻り、そこで余生を送っても良かったのではないか。

義左衛門が向かった里にある「榎の葉井」という井戸は、催馬楽（古代歌謡）で「榎の葉井に白玉沈くや」と歌われて以降、和歌を通じて繰り返しこのイメージを重ねられてきたものである（『和歌の歌枕地名大辞典』）。「白玉」には「大切に思う人」という意味がある。また、「白玉」を「真珠」と解するなら、「貴重なもの・真実の思い・清らかな心」などの連想が働く。

殿（権威）の影響下を脱し、清らかな恋の思い出だけを胸に余生を送ることにした義左衛門は、このような形で〈権威への対峙〉を果たしたのではないかと考えてみることができそうである。

7　決定的な相違点

対角線の構図を出発点にして対比させた二つの物語ではあるが、主馬と義左衛門、矢代と百目鬼では、二人の関係性に実は決定的な違いがある。それは、身体の関係を結ぶ前か（『男色大鑑』）、後か（『囀る鳥は羽ばたかない』）という違いである。

また、コラムに引用した二枚の漫画本文の間には、引用していないページがあり、そこで矢代が語っている台詞「お前を見てると無性に壊したくなる」が伝えているものの重要性についても、合わせて考えておかねばならない。百目鬼の命を守るために、暴力的な手段（両足を撃つ）に訴えてでも自分の跡を追うことをやめさせようとする矢代だが、その感情は随分と複雑であったように思われる。矢代の心の世界に無遠慮に立ち入ってきた百目鬼という男に対して、怒りと、破壊欲と、それでも深いレベルで交わりたいという渇望が、激しく渦を巻いているような状態で、どの感情もリアルに存在していたのではないかと思われるのである。

こうしたキャラクター造型の複雑さは、現代の漫画ならではのものと言えるだろう。三百年以上も前の西鶴と比べてというだけでなく、わずか三〇年程度前の『JUNE』(ジュネ)の頃と比べても、圧倒的に複雑さの度合いが増している。そして同時に、そうした造型のありよう自体が、作者の非凡さの証しともなっている。

8 影響研究の可能性もある？

再び、比較文学の方法論の話に戻る。対比研究より先に存在したオーソドックスな比較文学の方法論は、影響研究である。そして、実は、細い糸をたどっていったその先で、『囀る鳥は羽ばたかない』と『男色大鑑』とは、影響研究として扱える可能性もゼロではないようなのだ。ただしそれは、雑誌『JUNE』を媒介とした、やや迂遠(遠回り)なルートである。というのは、雑誌『JUNE』の執筆陣・読者は『男色大鑑』のストーリーを共有していた可能性がかなり高いとされるからである。これについては、青山学院大学における染谷智幸氏の講義内で、漫画家の大竹直子氏が報告を行っている(二〇二〇年一月一〇日)。また同日、若衆文化研究会の上村友子氏が、竹宮恵子氏の『風と木の詩』と『男色大鑑』巻二の二とを対比させ、人間関係における構造的な類似性を指摘する発表を行っている。これらの発表から推察するに、『男色大鑑』は、『JUNE』やその後のＢＬの展開に、直接的か間接的かの違いはあるにせよ、深く広く（反発も含め）、影響を及ぼしている可能性がある（次項９参照）。もっとも、その研究はまだようやく始まったばかりで、今後の成果を待たなくてはならない。

他方で『囀る鳥は羽ばたかない』の作者ヨネダコウ氏と雑誌『JUNE』との間にも接点が存在している。ヨネダコウ氏は、インタビューにおいて西炯子氏の『水が氷になるとき』『天使にならなきゃ』に言及し、「間の取り方などが独特で、繰り返し読みました」と語っている（『美術手帖』二〇一四年一二月号、二九ページ）。この『天使にならなきゃ』収録「出口」（『JUNE』一九八七年一二月号・一九八八年二月号掲載）において、恵が佳蓉に寄せる思いというのがまさに献身愛そのものである。「俺にしか言えないことがあって俺を手足と思って下さるんなら」と恵が胸のうちで呟く場面があるが（『天使にならなきゃ』一一五ページ）、これは、「頭の手足になり」「頭の望むことをするだけです　そうすると決めています」と語る百目鬼の言葉を連想させる（『囀る鳥は羽ばたかない』第三巻、五四ページ）。また、『囀る鳥は羽ばたかない』第一話には「出口」を彷彿させるエピソードがある。それは、料亭での会食後に酔いが回った矢代を、百目鬼が寝室まで連れ帰る場面

11 「風と木の詩」は『週刊少女コミック』（一九七六～一九八一、小学館）、『プチフラワー』（一九八一～一九八四）に連載された。コミックスは『風と木の詩』（一九七七～一九八四）、小学館フラワーコミックス。

だ。料亭での会食、酒を過ごした人物の介抱（かいほう）、抱きかかえて（あるいは背負って）寝台に運ぶ描写などが重なるように思うのは、あるいは筆者の深読みであろうか。[12] いずれにせよ、作家自ら雑誌『JUNE』掲載作に言及して影響を明言していることは確かなことである。[13]

9 古くて新しい古典

実は、『男色大鑑』という作品には、ある一定の読者層からバイブルのように扱われてきた歴史がある。まだ、ＢＬというワードも存在せず、男性同士の恋愛が描かれた作品自体、極めてわずかしか入手できず、貪（むさぼ）るように情報を求めて、古文であろうと、ものともせず読み耽（ふけ）った読者らが存在する。[14]

これに対し、商業ＢＬがすでに身近に多く存在し、古文にまで手を伸ばさずとも、男性同士の恋愛が描かれた作品が入手可能な環境で育った読者らは、漫画やテレビ番組を通じ、新鮮な驚きとともに『男色大鑑』と出会うことになった。[15] よって、『男色大鑑』は、ＢＬの歴史のなかでも、古くて新しい古典ということになりそうである。[16]

悲劇的な結末、宿命、業（ごう）などを描き出していく『男色大鑑』と、『JUNE』の作品群は、非常に親和性が高い。これに対して、ハッピーエンド重視の風潮が長く続いてきた商業ＢＬは、『男色大鑑』と一直線につながるものではないかもしれない。だが、もし商業ＢＬが、悲劇的な結末や、オープンエンドであることへの反発から生まれてきたと仮定できるなら、『男色大鑑』がある種の（遠ざかるべき対象として）影響を及ぼしていると見ることもできるのではないだろうか。今後、この問題に関心を寄せる研究者が増えてくれば、より詳細な検討が進んでいくと思われる。まずは、『男色大鑑』と『JUNE』の関係性を実証的に探っていくのが先であろう。

このような次第で、影響研究は現段階ではまだ不可能なのであるが、影響の有無を問わない（よって影響関係があってもかまわない）対比研究の手法によって、片や古典文学（のなかの浮世草子というジャンル）と、片や漫画（のなかのBLというジャンル）という、まったく異なるメディア間において、時空さえも飛び越えた状態で、比べながら考察するということを試みてきた。このよう

12 ちなみにヨネダコウ氏の『それでも、やさしい恋をする』で、熱を出して寝込む小野田の手に、出口晴海がそっと手を絡める姿は、西炯子氏の「出口」で、寝入っている佳蓉の手に触れながら口づける恵の姿に重なる。このように記すと「出口晴海」の名との符合に誰しも目が向くことになるが、その可能性を最初に示唆してくれたのは、要天狗氏@kaname1888である。

13 これをもって、ヨネダコウ氏が『JUNE』掲載作品にリアルタイムで触れたということにはならないので注意が必要である。

14 こうした読者層が存在したことを、これまで西鶴研究者はほとんど認識してこなかった。『全訳　男色大鑑』の編者二人（染谷氏と筆者）も、これを明瞭に意識したのは刊行後である。

15 『男色大鑑』という書名の読み方が認知されていないため、「だんしょくたいかん」などと発音されることもあれば（現代語訳では「だんしょく」と読むことが多い）、「おおかがみ」の音から表記を「大鏡」として記載するなどさまざまで、この書名をツイッターなどで検索する際には、複数の可能性を試みなくてはならない。

16 ここで言うBLとは、商業BLのみならず、このワードが登場する以前の、「少年愛」『JUNE』「やおい」を含む、BLジャンル全体を指す広義の意で用いている。BLの歴史については、『BLの教科書』第I部「BLの歴史と概論」の詳細な解説を参照している（堀／守、二〇二〇）。

に、現代の感覚によって、古典のなかに新たに〈萌え〉を探ってみることも、古典の伝え方として有効なのではないかと考える次第である。

［付記］

本節は、若衆文化研究会第1回リモート研究・交流会　二〇二〇年六月六日開催（限定公開）「身を献げる男『囀る鳥は羽ばたかない』と『男色大鑑』」、および、若衆文化研究会　ＷＥＢ研究会「遠雷の夜会」二〇二〇年七月一八日開催「『囀る鳥は羽ばたかない』と『男色大鑑』【詳細版】」で語った内容に基づいている。

おわりに――〈コピペ〉とプライオリティ――

本書を手に取られた方は、国語教育（古典教育）に関心をお持ちの方か、あるいは『男色大鑑』という作品に心惹かれたか、またはＢＬに関心が高い方……もちろん、さまざまではあるだろう。それでもやはり、『これからの古典の伝え方』というタイトルに忠実に、そして間違いなく今後これが最重要課題になるだろうと筆者が考えていることを、ここで記しておきたい。それは、端的に言うなら、いかに〈コピペ〉への問題意識を共有し、プライオリティを尊重する態度を養っていくかということである。本書では、創作意欲を喚起するような古典の伝え方を提案してきた。そこでは、創作を通じた伝え方の持つ明るい側面、効果的な側面を強調してきたわけだが、もちろん、創作を奨励する際に、負の側面が全くないわけではない。それが〈コピペ〉問題である。

〈コピペ〉問題とは何か。コピー&ペーストを略して〈コピペ〉――これを command + c（ctrl + c）、command + v（ctrl + v）などと書いても、学生たちはそもそもコマンドを使わないので全く通じない言葉になってしまうが――要するに、ネット上にある、さまざまな（玉石混淆の）記事から、自分の目的に合う部分を摘まみ食いの状態でコピーし、自身の課題（レポート、リアクションペーパー、はなはだしい時は卒業論文まで）に貼り付ける行為を問題視した言葉である。大学教育の一つの到達点は、これを回避した形で文章が書けるようになることだと、筆者は学生への指導を行いつつ常々考えている（もちろん、入学時点からすでに適切な振る舞いを身につけていて、そこからさらに先に進む優秀な学生も一定数は存在するはずだが、まずは最低限目指すべき到達点として重要という意味で）。そもそも学生たちの多くは、この〈コピペ〉がなぜ問題かということを理解しないまま大学に入学してくる。なぜなら、小学校の頃から延々と繰り返されてきた「調べ学習」においては、〈コピペ〉という振る舞いが叱責を受けるどころか、「よく調べましたね」「素晴らしい成果です」と高評価さえ受けてきた記憶があるからだ。だが、これは、学問の世界においては立派な剽窃である。剽窃とは、他の人の作品や論文を盗んで、自分のものとして世に出すことを言う。大学とは、学問に触れる場であるわけだから、この段階に来て、初めて真剣に、ことの重大さと向き合うはめになる。時にはそれが成績判定の上で不利に働くことさえある。彼らは、もっと早い段階で、これが「盗み」の行為であるということを学んでくるべきだったのではないだろうか。

　他方で、そのような引用の作法などは、まさに大学教育で行うべきことで、義務教育や高校での教育の段階からそこまでの質を求めることには無理がある、との反論も当然予測されるだろう。だが、これに対しても、別の観点から、やはり問題を指摘せねばならない。

　それは、創作におけるコピー問題である（そして、本書の課題にようやく接続したわけだ）。本書で重要ワードとして取り上げたアダプテーションは、元の作品を新たな環境や受容者にどうアダプト（適応）させるかという工夫のなかから生まれ出てくるものであるから、存在自体がある種のコピーである。コピーであるのに問題が起きないのは、何を元にしているかを明示した上で、世に出しているからである。

ところが、元になったものを明示せず、しかも、誰もが一目でわかるほどそっくりコピーするというのでもなく、微妙な匙加減でコピーを重ね、その透き間にオリジナルな要素を混ぜ込むというような、実に巧妙な手法も世の中には存在する。さらに、複数の元ネタをモザイク状に組み合わせて、そのコラージュの発想こそが「オリジナル」と開き直るような作品だって存在し得る（現代美術の応用として）。それらに対して、どのように対処していったら良いのだろうか。これは、創作世界における出典軽視、または、プライオリティ軽視の問題として、考えなければいけないことなのではないか。

プライオリティとは、自分より先にそれについて考え、表現した人に優先権があり、常に尊重されるべきということである。たとえ、その作品や論文の存在を知らなかったとしても、既になんらかの形で、自分より先に世の中に公表されているものが存在するなら、その存在に言及する必要があるとする考え方である（「知らない」＝「不勉強」とする考え方）。学問の世界では、このプライオリティ尊重の考え方が（建前としてではあっても）共有されている。もし、先行する存在から影響や刺激を受けた点があるとするならば、一言でもそれについて触れるべきとする考え方である。このようにすることがいかに重要で必要なことか、義務教育の段階から、強調して指導していく必要があるのではないだろうか。

コピーされた側の人間は即座に（見た瞬間、読んだ瞬間に）自分のものが他者の手によってコピーされたことを感じ取る。自分以外の人の目には判然としなくても、匂いで、手触りで、それがわかる。もとは、自分の身を切り刻むようにして生み出したのであるから、当然のことだ。ただ、それは極めて感覚的なものであるため、多くの場合、コピーされたと論証することは難しい。他方、コピーした側は、行為自体に完全に無自覚な場合もあれば（膨大な蓄積のなかに埋もれた状態）、うっすらと自覚しつつも自己弁護の論理に閉じこもる場合もあろう（オリジナルなものを一定程度混ぜ込んだから、これは「オリジナル」だと信じ込もうとする状態）。たった一言でも、「大いに感化を受けました」と明言してくれたなら、コピーされた側も、胸を貸そうという気にもなるものだ。だが、単なる栄養分としてのみ摂取し、何を摂ったのか（あえて「盗った」とは書かないでおこう）明かさずに世に問うと、「摂られ」た側は、ひたすら悶々とする。そうしたことが、創作の世界には驚くほど存在している――プロもアマも。

次に記すのは、本書の校正、編集でひとかたならずお世話になった坂東実子氏から聞いた話である。坂東氏が、とある演劇を鑑賞し、その後のトークショーでのこと。劇作家とその劇のテーマに関連する分野の学者が語り合っていて、学者がふと、このシーンの着想はどこから得たのかと問う。劇作家は「さあ、どこから得たのか、もう覚えていません」と正直に答える。すると学者は、「私の本ですよ」とピシリと言うのである。これは非常に興味深いエピソードである。その劇作家が特に珍しいというわけではなく、創作の世界ではそれがおそらく標準的な振る舞い方なのだろう。一方、その学者にとって、その本に記したことは、膨大な調査や考察の果てに初めて言語化し得た、言ってみれば研究のエッセンスそのもの、まさに自身の血肉である。劇作家にとっては、多数集めていた情報の一つに過ぎず、しかも、情報の提供者が誰であったかなど、劇作においてまったく考慮の必要性すら感じない程度のことなのだろう。そこにある両者の温度差は、相当なものである。もちろん、互いに棲む世界が異なるから、学者はそのことをもって劇作家にプライオリティを脅かされたとは思わないだろう。そうではあるけれども、もし自著を使ったのなら、たった一言でもそれをどこかで示してほしかった——例えば、パンフレットの端にでも——とは内心思ったのではないだろうか。

　今後、実作とアカデミックとの間で、ますます相互乗り入れが加速するものと思われる。アカデミックの側から実作に手を染める者もいれば、アカデミックであろうとする実作者もいる。その境界が完全に無くなることはまずないだろうが、アカデミックな成果のなかに、貪欲に養分を求めていく実作者の数は、今後さらに増すことだろう。もちろん、その行為自体が、研究を後押しし、活性化を促すというプラスの側面もある。その際、アカデミックな世界が元来共有していたプライオリティ尊重の考え方が、創作の世界にも広まっていくということになれば、創作作品相互においても、コピーされた、いやしていないというような不愉快な事案が、減っていくのではないだろうか。▼1

そうしたことまで視野に収めた時、やはり、義務教育の段階で、他者の成果を尊重する態度を養うということが、今後、極めて重要になってくるものと思われる。まずは、教員自らその範を示すことが重要だ。全校集会で児童・生徒に何かを話す際には、出版物から適当に選んできた話を組み合わせて、あたかも自分の言葉であるかのように語って聞かせるのではなく、他者の言葉と自分の言葉を区別して語る意識が必要だろう。その日に話す内容が、どのようなリソース（出典）から得たものか、ごく平易な言葉遣いで児童に示していけばいいのである。「〇〇さんによると」、『〇〇』という本にはこのように書かれていた」という言葉さえ足せばよいのだ。とは言え、もちろん、話す内容の九割以上が引用というのは、やはり問題だ。自分で考えたことの比率を、努めて高めなくてはならないだろう。教室においても同様である。他の児童の作品を真似する児童がいた場合に、「〜さんの作品が素敵なので、自分もその良い部分を参考にしてみた」と一言添えることを、繰り返し指導していけばよいわけだ。調べ学習においても、調べてきた内容の後ろに「と思います」と足す代わりに、「とありました」と書くよう指導すれば良いだけのことだ。本書の「江戸の〈コピペ〉――『花実御伽硯』の場合――」に詳しく記したように、自信ある書き手は、元ネタを隠さないものである。

本書は、筆者にとって二冊目の単著となる。一冊目は博士論文をまとめたものであり、巻末に恩師・小池正胤（まさたね）先生からの言葉を掲載することができた（畑中、二〇〇九）。もう恩師はこの世にない。挿絵等の図版を分析することが、いずれ筆者にとって大事になるだろう、との恩師の予言が、奇しくも本書で実現した気がしている。

　本書の出発点は、小さな研究会にあった。筆者の国内留学期間（二〇一九年九月〜二〇二〇年八月）と、ナムティップ・メータセート氏（本書「はじめに」注3、17ページ参照）のサバティカル（日本留学）期間が一部、重なった幸運を活かし、共通の知人で漱石研究者の坂東（丸尾）実子氏と共に、「アダプテーション研究会」を結成し、書物を読み解くことと、実体験（映画、芝居、「聖地巡り」等）を積み重ねたことが、本書のコンセプトに結実していった。この小規模の研究会に、国文学研究資料館の教員・院生の方々にもご参加いただいたことで、本書のカギであるアダプテーションへの理解も深まったように思う。また、この研究会での成果を披露する場として「第四回三島由紀夫とアダプテーション研究会」[2]でパネル発表の機会をいただいたことが、非常に大きな弾みとなった。関係者すべての方々に御礼申し上げる。

　また、研究仲間とはまたまったく異なる出会い方をした、極めて重要な仲間の存在もここに記したい。一人ひとりのお名前を出すことはできないし、そもそもアカウント名以外ほとんど何も存じ上げない方も大勢いらっしゃるけれども、ただひたすら『囀る鳥は羽ばたかない』が好きという、その一点だけを共通項にして出会った方々の存在が、本書のコンセプトを固めていくうえ

1　リスペクトやオマージュ、あるいは、どの作品が元ネタか誰の目にも判然とする場合などはどうするのか——など、さらに議論の必要な点も残されてはいる。
2　本書17ページの注3参照。

で大きな力となった。そうした貴重な仲間との出会いをもたらしてくださったのは、紛れもなくヨネダコウ先生である。ヨネダ先生に感謝の想いを捧げたい。さらに言えば、ヨネダコウ先生の作品との出会いへ導かれるきっかけをもたらした溝口彰子氏、その縁を結んだ紗久楽さわ氏のお蔭と感謝している。

本書の企画時、非常に深い部分で重要な示唆をもたらした文学通信の岡田圭介氏（これぞ「編集」と感嘆した！）、正確、かつ、センスよく編集を進めてくださった西内友美氏、表紙にイラストを使用することを快くご許可くださった紗久楽さわ氏、校正・校閲と呼べる範囲を超えて、内容をより良いものへとするために惜しみなく力を貸してくれた坂東実子氏に、心より御礼申し上げる。

＊コミカライズ版『男色大鑑』解説の転載、および、図版の掲載をご許可くださったKADOKAWAコミックビーズログ編集部に御礼申し上げます。

＊『囀る鳥は羽ばたかない』の図版掲載をご許可くださった大洋図書HertZ & CRAFT編集部に御礼申し上げます。

本書の出版に当たっては、二〇二〇年度学校法人千葉敬愛学園研究プロジェクト補助金（出版助成）の交付を受けている。

初出一覧

いずれも、初出から加筆訂正を行っている。

はじめに……書き下ろし

Ⅰ　古典を現代に伝えるには――『男色大鑑』の場合――

第1章　ＢＬコミカライズ・現代語訳・演劇化

第1節　それはＢＬから始まった……書き下ろし

第2節　『男色大鑑』の世界……「『男色大鑑』の世界」「続・『男色大鑑』の世界」「続々・『男色大鑑』の世界」（コミカライズ版『男色大鑑』KADOKAWA、二〇一六年五月、六月、九月）

第3節　『全訳 男色大鑑』の方法……書き下ろし

第4節　〈雪月花〉の舞台が伝えたもの……「雪月花・魂の片割れへの渇望―『男色大鑑』のアダプテーションがもたらしたもの―」（『人文科学研究（キリスト教と文化）』（国際基督教大学）第五二号掲載予定）

第2章　古典を読む方法――実践編――

第1節　〈萌え〉を共振・増幅させていく〈創作〉……「アダプテーションから読む『男色大鑑』―「萌え」を共振・増幅させていく「創作」―」（染谷智幸／畑中千晶編『男色を描く　西鶴のＢＬコミカライズとアジアの〈性〉』勉誠出版、二〇一七年）

第2節　挿絵の嘘と〈演出〉……「現代日本のＢＬ文化と古典の再評価―西鶴『男色大鑑』の挿絵における視覚的効果と現実について―」（『タイ国日本研究国際シンポジウム２０１８論文集』チュラー

ロンコーン大学文学部東洋言語学科日本語講座、二〇一九年三月）

第3節　男色の道をあえて選ぶ男たち……「我らは男色の道を分て―〈演出〉で読む『男色大鑑』―」（『西鶴と浮世草子研究』第四号、笠間書院、二〇一〇年一一月）

II　現代の感性で古典を切り取る

第1章　創作のヒントとしての古典

第1節　江戸の〈行きて帰りし物語〉――『西鶴諸国はなし』の場合――……「西鶴の隠れ里―描かれざる空白を読む―」（『敬愛大学国際研究』第二五号、二〇一二年二月）

第2節　江戸の二次創作――都の錦『風流源氏物語』の場合――……「江戸の二次創作―都の錦『風流源氏物語』を読み直す―」（寺田澄江／加藤昌嘉／畑中千晶／緑川眞知子編『源氏物語を書きかえる　翻訳・注釈・翻案』青簡舎、二〇一八年）

第3節　江戸の〈コピペ〉――『花実御伽硯』の場合――……「『花実御伽硯』の粉本―写本『続向燈吐話』の利用について―」（『敬愛大学国際研究』第三二号、二〇一九年三月）

第2章　〈萌える〉古典

第1節　BLコミックス『囀る鳥は羽ばたかない』と『男色大鑑』の共通点……若衆文化研究会公式ホームページ掲載コラム（二〇二〇年四月二五日公開）

第2節　メディアも時空も飛び越えて……書き下ろし

おわりに……書き下ろし

補足資料①書誌事項　②対照表……「『花実御伽硯』の粉本―写本『続向燈吐話』の利用について―」（『敬愛大学国際研究』第三二号、二〇一九年三月）

補足資料①　書誌事項

【一】『花実御伽硯』（現存確認唯一の伝本『怪談御伽硯』による）

内題を書名認定の第一徴証とする書誌の原則に照らせば、本書の書名は『怪談御伽硯』でなく『花実御伽硯』とすべきであるが、現存本が石川武美記念図書館本一本のみであり、そこでの書名が『怪談御伽硯』であることから、混乱を避けるために、ここでは『怪談御伽硯』の書誌として記す。

石川武美記念図書館成簣堂文庫（資料番号なし）

『怪談御伽硯』　半紙本五巻五冊合一冊　半月庵序

明和五年正月　江戸　山碕金兵衛・鱗形屋孫兵衛版

表紙　原装縹色二二・二糎×一六・一糎

外題　巻二のみ原題簽存（左肩双辺）「花実御伽硯」。巻一は後補書き題簽（左肩）「怪談御伽硯壱」。巻三・巻四は剥落。巻五は打付書（左肩）「花実御伽硯　五」。

序　「序」「花洛　半月庵主人識」

目録題　「花実御伽硯（くわじつおとぎすゞり）　巻之一（〜巻之五）」

内題　「花実御伽硯（くわじつおときすゞり）　巻之一（〜巻之五）」

本文の構成　四周単辺無界一〇行二四字前後、一八．三糎×一三．二糎、「おときすゝ里巻の一　一（～十六）」。巻一　一六丁・挿絵三面、巻二　一四丁・挿絵三面、巻三　一四丁・挿絵三面、巻四　一四丁・挿絵三面、巻五　一五丁・挿絵三面。

尾題　「花実御伽硯巻之一終（～巻の四終）」「花実御伽硯巻五大尾」

刊記　明和五年子正月吉日

書林
京都　寺町松原下ル町　梅村市兵衛
浪花　心斎橋順慶町　渋川与市
江府　日本橋南弐丁目　山碕金兵衛
大傳馬町三丁目　鱗形屋孫兵衛　板

印記　「青」（黒文楕円印）、「蘇峰」（朱文方印）、「蘇峰文庫」（朱文長方印）、「徳富氏所蔵品」（朱文楕円印）、「康義園」（朱文楕円印）。

【二】『続向燈吐話』

国文学研究資料館　三井文庫旧蔵資料（ＭＸ３０１―１）

『続向燈吐話』　半紙本十巻十冊合二冊　元文五年　資等序〔江戸後期〕写

表紙　改装薄茶色二二・九糎×一五・九糎

外題　後補書き題簽「〈奇／談〉続向燈夜話」

序　「続向燈吐話序」「元文庚申年初春　資等書」

目録題　「続向燈吐話巻之壱（～十）」

内題　「続向燈吐話巻之壱（～巻之十）」

本文の構成　無辺無界九行一八字　字高約一八糎。巻之一　三九丁、巻之二　三三丁、巻之三　三二丁、巻之四　二八丁、巻之五　二二丁、巻之六　二五丁、巻之七　二五丁、巻之八　二三丁、巻之九　二二丁、巻之十　二五丁。

尾題　「続向燈吐話巻之壱（～十）終」

印記　「榎本」「万喜」（ともに墨文長方印）、「北滝」（朱文長方印）

『続向燈吐話』表紙

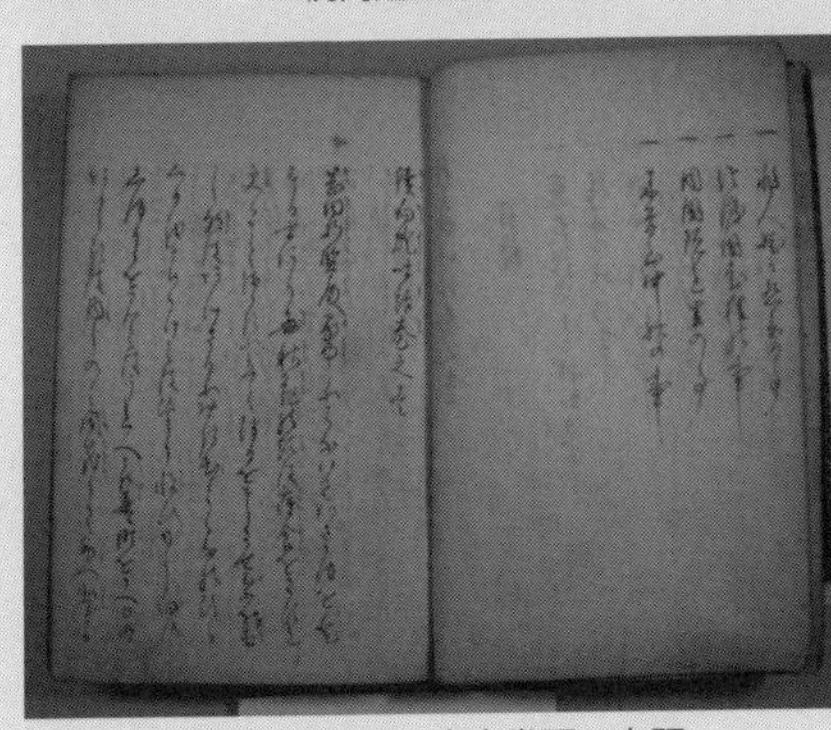

『続向燈吐話』本文巻頭、内題

別表1 『花実御伽硯』とその粉本（元ネタ）

章番号は便宜的に掲載順に付した。書名略号は次の通り（向＝『向燈賭話』、続＝『続向燈吐話』、新＝『新著聞集』、秉＝『秉燭奇談』）。

『花実御伽硯』			粉本（元ネタ）		
	巻・章	目録題	書名	巻・章	目録題
	序		続	序	
1	1-1	遠州横須賀の怪	続	9-17	遠江国横須賀山中の妖怪の事
2	1-2	犬婦を奪ふ	続	7-1	犬、婦女をうばひし事
3	1-3	狐人を救ふ	続	2-6	狐、人を救ふ事
4	1-4	甲州の雪女	続	2-9	甲州の雪女の事
5	1-5	火中より死人出る	続	1-4	火中に死人出る事
6	1-6	非人姥が怨念	続	1-7	非人姥が怨念の事
7	1-7	竜道渕の大蛇	続	2-5	竜道淵の大蛇の事
8	1-8	先妻の幽霊	続	2-1	弓町亡霊の事
9	2-1	生ながら狐と成	新	奇怪篇第十	人活ながら狐となる
10	2-2	姿ありて身のなき物	新	奇怪篇第十	形ち有体なき妖者
11	2-3	常州山本の盗人	続	4-3	常州山中の盗人の事
12	2-4	上総国蝮蝎塚	続	3-12	蝮蝎を焼殺す事
13	2-5	日向の国神軍	続	5-1	日向国神軍の事
14	2-6	薬研坂の幽霊	続	2-2	薬けん坂幽霊の事
15	2-7	黒坊主の怪	続	2-11	黒坊主の怪の事
16	2-8	猫舌をくひ死	新	酬恩篇第三	猫舌を噉斃す
17	2-9	榎木の精化	続	1-3	榎木の精化の事
18	3-1	武州江戸四ツ谷見越入道	続	3-3	四ッ谷の見越入道の事
19	3-2	本所天狗の足跡	続	3-5	白金の足あとの事
20	3-3	不忍池妊婦化生	続	3-6	妊婦化生の事
21	3-4	我然坊谷大女	続	3-9	中の町大女の事
22	3-5	越後国御朱印狸姥	続	4-2	御朱印姥の事
23	3-6	新吉原の子狐	続	4-4	金杉の小狐の事
24	3-7	備中国吉備津宮美女	続	5-2	備中国怪異の事
25	3-8	猫の怪異	秉	巻四	猫の怪異
26	3-9	老鼠妖	向	巻一	老鼠の怪
			秉	巻四	老鼠の怪
27	4-1	蜘蛛の怪異	続	3-8	蜘蛛の怪異の事
28	4-2	猿を殺して病	新	報仇篇第四	猿恨怪をなす
29	4-3	能登国邪神	続	4-5	能登国邪神の事
30	5-1	雲中の人聲	続	5-3	雲中の人声の事
31	5-2	箱根の貂	続	5-4	湯の山の貂の事
32	5-3	四ッ谷の河童	続	5-6	四谷の川童の事
33	5-4	佐渡の国隠れ里	続	1-9	同国隠れ里の事
34	5-5	出羽の国撞鐘半ば盗	続	2-7	撞鐘半を盗む事
35	5-6	椿木の妖	続	1-2	椿木の妖の事
36	5-7	どんなる狐	新	俗談篇第十七	鈍狐害をかふむる
37	5-8	八王子の酢屋	続	3-2	八王子の酢屋の事

別表 2 『続向燈吐話』各話の利用状況

章番号は便宜的に掲載順に付した。書名略号は次の通り（諸＝『諸州奇事談』、花＝『花実御伽硯』）。

『続向燈吐話』			『諸州奇事談』と『花実御伽硯』における利用状況		
	巻・章	目録題	諸／花	巻・章	目録題
1	1-1	葬花の内より骸出る事	諸	2-4	葬花の妖怪
2	1-2	椿木の妖の事	花	5-6	椿木の妖
3	1-3	榎木の精化の事	花	2-9	榎木の精化
4	1-4	火中に死人出る事	花	1-5	火中より死人出る
5	1-5	狼の恩報の事	諸	5-3	市ヶ坂の化生
6	1-6	江戸見坂の怪説の事	諸	5-4	壜還会天狗
7	1-7	非人姥か怨念の事	花	1-6	非人姥が怨念
8	1-8	佐渡国老狸の事			
9	1-9	同国隠れ里の事	花	5-4	佐渡の国隠れ里
10	1-10	木曽山中妖の事			
11	2-1	弓町亡霊の事	花	1-8	先妻の幽霊
12	2-2	薬けん坂幽霊の事	花	2-6	薬研坂の幽霊
13	2-3	石州浜田名作の瑞の事			
14	2-4	山鳥、雌のあだを報る事			
15	2-5	龍道淵の大蛇の事	花	1-7	竜道渕の大蛇
16	2-6	狐、人を救ふ事	花	1-3	狐人を救ふ
17	2-7	撞鐘半を盗む事	花	5-5	出羽の国撞鐘半ば盗
18	2-8	怨念、門をたたく事			
19	2-9	甲州の雪女の事	花	1-4	甲州の雪女
20	2-10	玉より尾を生ずる怪の事			
21	2-11	黒坊主の怪の事	花	2-7	黒坊主の怪
22	3-1	粟津の妖女の事			
23	3-2	八王子の酢屋の事	花	5-8	八王子の酢屋
24	3-3	四谷の見越入道の事	花	3-1	武州江戸四ッ谷見越入道
25	3-4	松山の狸の事	諸	3-4	猫鬼の教場
26	3-5	白金の足あとの事	花	3-2	本所天狗の足跡
27	3-6	妖婦化生の事	花	3-3	不忍池妖婦化生
28	3-7	冨士の根方の蝮蝎の事			
29	3-8	蜘蛛の怪異の事	諸	3-6	予州の河童
			花	4-1	蜘蛛の怪異
30	3-9	中の町大女の事	花	3-4	我然坊谷大女
31	3-10	狐、侍に変ずる事	諸	3-5	麻布の古狐
32	3-11	闇坂の幽霊の事			
33	3-12	蝮蝎を焼殺す事	諸	2-11	市原の大蛇
			花	2-4	上総国蝮蝎塚
34	3-13	巾着切横死の事			
35	4-1	狸寺の号の事			
36	4-2	御朱印婆の事	花	3-5	越後国御朱印狸姥
37	4-3	常州山中の盗人の事	花	2-3	常州山本の盗人
38	4-4	金杉の小狐の事	花	3-6	新吉原の子狐

39	4-5	能登国邪神の事	花	4-3	能登国邪神
40	5-1	日向国神軍の事	花	2-5	日向の国神軍
41	5-2	備中国怪異の事	諸	2-10	花中の鬼女
			花	3-7	備中国吉備津美女
42	5-3	雲中の人声の事	花	5-1	雲中の人聲
43	5-4	湯の山の貂の事	諸	3-3	温泉の奇怪
			花	5-2	箱根の貂
44	5-5	泥我右衛門強勇の事	諸	5-7	江州の勇者
45	5-6	四谷の川童の事	花	5-3	四ッ谷の河童
46	5-7	碓井の尻馬の事			
47	5-8	小田原の地震の事			
48	5-9	蝮蝎家を潰す事			
49	5-10	信悪が怨霊の事	諸	2-9	少女の懺悔
50	6-1	甲州宮内が乱行の事			
51	6-2	西応寺町化物やしきの事			
52	6-3	上野国の人横難の事			
53	6-4	車井、密夫をあらわす事			
54	6-5	死人土中の声の事			
55	7-1	犬、婦女をうばひし事	花	1-2	犬婦を奪ふ
56	7-2	衣桁にかけし小袖より手を出す事	諸	2-8	執着の小袖
57	7-3	女ぬすびとの事			
58	7-4	盗人、恩を報ゆる事			
59	7-5	墓所より火の玉飛ぶ事			
60	8-1	火の霊、塚上にたたかふ事	諸	2-7	幽魂の闘諍
61	8-2	厠の神を見て死する事			
62	8-3	厠の怪異の事			
63	8-4	狸、おのれと腹を断つ事	諸	2-5	古狸の腹鼓
64	8-5	皁の木の妖の事			
65	8-6	産婦稲荷怪異の事			
66	8-7	赤坂火消屋敷怪異の事			
67	8-8	滝川家の狸の事			
68	8-9	上杉家の怪異の事			
69	8-10	狐、人を焼殺す事			
70	8-11	下総惣五の宮来由の事			
71	8-12	同国馬頭観音の事			
72	8-13	同国権現石来由の事	諸	2-6	熊野の霊石
73	8-14	清水より龍現ずる事			
74	8-15	土屋家のやしき、竜出現の事			
75	8-16	亡霊、きつねを頼む事			
76	8-17	猫の生霊、人につく事			
77	8-18	衣裏より人魂出る事			
78	9-1	土中、弥陀を掘り出す事			
79	9-2	芝居の盗人の事			
80	9-3	鱣、人を呼ぶ事			

81	9-4	白衣の追剥の事			
82	9-5	姫路の城妖の事			
83	9-6	狸の廻国の事			
84	9-7	疱瘡の神と力をあらそふ事			
85	9-8	疱瘡神を窓より撲つ事			
86	9-9	愛子の重病をいかり、疱瘡神のたなを破る事			
87	9-10	目前疱瘡の神を見る事			
88	9-11	長門国の人、ろくろ首の事			
89	9-12	上総国の人胸裂くる事	諸	5-8	酒毒胸を裂
90	9-13	陸奥国の人、手指のわづらひの事	諸	2-3	老女の悪報
91	9-14	同国の人、影のわづらひの事			
92	9-15	若狭国の人、馬となる事			
93	9-16	丹波国傀儡の霊の事	諸	2-2	笹山の傀儡
94	9-17	遠江国横須賀山中の妖怪の事	花	1-1	遠州横須賀の怪
95	10-1	駿河国藤枝山中、件出る事			
96	10-2	相模国木場妖怪の事	諸	2-1	相州の山鬼
97	10-3	陸奥国さとりの事			
98	10-4	山ぶし、かぶろ、両坂来由の事			
99	10-5	西の久保町屋妖怪の事			
100	10-6	衾の内より大手を現す事			
101	10-7	女髪の怪異の事			
102	10-8	御影堂七兵衛が事			

読書案内

西鶴の話を読んでみたいという方にオススメ。
いずれも、筆者が携わっています。

快楽殺人、横領(おうりょう)事件……
ゾクゾクの読書体験へ。

西鶴研究会編（2004）
『西鶴が語る江戸のミステリー
—怪談・奇談集—』ぺりかん社
見開きの対訳（原文・現代語訳）。
注（図版入り）と解説つき。

「あるべき姿」を
見失わせるのが恋……。

西鶴研究会編（2006）
『西鶴が語る江戸のラブストーリー
—恋愛奇談集—』ぺりかん社
見開きの対訳（原文・現代語訳）。
注（図版入り）と解説つき。

悩み、揉(も)め事(ごと)……
生きていれば、いろいろある。

西鶴研究会編（2011）
『西鶴が語る江戸のダークサイド
—暗黒奇談集—』ぺりかん社
見開きの対訳（原文・現代語訳）。
注（図版入り）と解説つき。

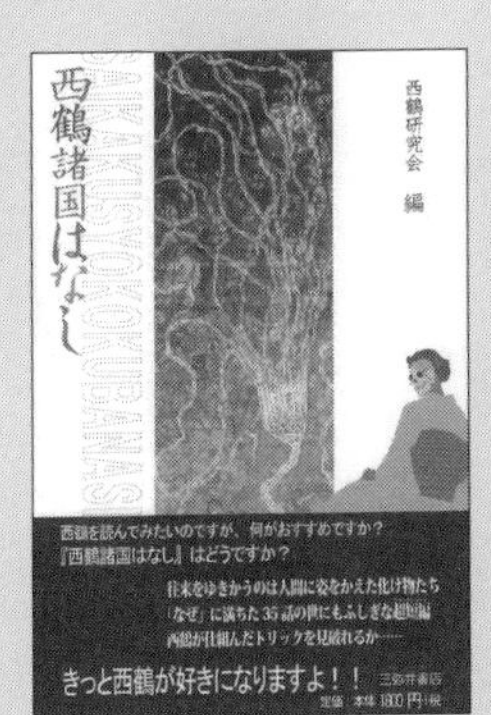

原文にチャレンジするなら、これがオススメ。

西鶴研究会編（2009）
『西鶴諸国はなし』
三弥井古典文庫、三弥井書店

頭注（図版入り）と「鑑賞の手引き」つき。

研究者が本気で書いた〈二次創作〉。

西鶴研究会編（2018）
『気楽に江戸奇談！
RE:STORY 井原西鶴』笠間書院

作品世界を彩るのは、
可愛いイラストとコラム（写真入り）。

〈推し〉に課金は惜しまない……歌舞伎役者への熱狂の渦。

染谷智幸／畑中千晶編（2019）
『全訳　男色大鑑〈歌舞伎若衆編〉』
文学通信

さらに、〈推し〉に出会える
カラーチャートつき。

命懸けの恋をする武士たち。

染谷智幸／畑中千晶編（2018）
『全訳　男色大鑑〈武士編〉』
文学通信

すらすら読める現代語訳。BL 漫画家 5
名の挿絵、注（図版入り）と解説つき。

文献一覧

Ⅰ　本文・注釈（成立年順）

・『荘子』（金谷治訳注　二〇〇八　『荘子』第一冊、岩波文庫）
・『万葉集』（佐竹昭宏／山田英雄／工藤力男／大谷雅夫／山崎福之　二〇〇三　『万葉集』4、新日本文学大系4、岩波書店）
・『古今和歌集』（佐伯梅友校注　一九九二　『古今和歌集』岩波文庫）
・『一条摂政御集』（犬養廉／後藤祥子／平野由紀子校注『平安私家集』新日本古典文学大系28、岩波書店）
・『往生要集』（石田瑞麿訳注　一九九二　『往生要集』（上）岩波書店）
・『和漢朗詠集』（菅野禮行校注・訳　二〇〇四　『和漢朗詠集』新編日本古典文学全集19、小学館）
・『近代秀歌』（久松潜一／西尾實　一九八八　『歌論集　能楽論集』日本古典文学大系65、岩波書店）
・『宇治拾遺物語』（三木紀人／浅見和彦／中村義雄／小内一明校注　一九九〇　『宇治拾遺物語　古本説話集』新日本古典文学大系42、岩波書店）
・『宇治拾遺物語』（町田康訳　二〇一五　『宇治拾遺物語』池澤夏樹編『日本霊異記　今昔物語　宇治拾遺物語　発心集』日本文学全集08、河出書房新社）
・『松虫』（佐成謙太郎　一九八三　『謡曲大観』第五巻、明治書院）
・『紅葉狩』（西野春雄校注　二〇〇七　『謡曲百番』新日本古典文学大系57、岩波書店）
・『毛吹草』（竹内若校訂　二〇〇〇（第一刷一九四三）『毛吹草』岩波文庫）
・『よだれかけ』（伊藤千可良／齋藤松太郎／井上直弘校　一九一六　『江戸時代文芸資料』第四、国書刊行会）
・『伽婢子』（江本裕校訂　一九八八　『伽婢子』2、東洋文庫、平凡社）
・『野郎虫』『難波立聞昔語』（歌舞伎評判記研究会　一九七二　『歌舞伎評判記集成』1、岩波書店）
・『難波の白伊勢の白粉』（新編西鶴全種編集委員会　二〇〇七　代表谷脇理史『新編西鶴全集』第五巻　下　勉誠出版）
・『物種集』（飯田正一／榎坂浩尚／乾裕幸校注　一九七一　『談林俳諧集』一、古典俳文学大系3、集英社）
・『西鶴諸国はなし』『男色大鑑』『武道伝来記』（新編西鶴全種編集委員会　二〇〇二　代表浅野晃『新編西鶴全集』第二巻・本文篇　勉誠出版）
・『西鶴諸国はなし』（西鶴研究会編　二〇〇九　『西鶴諸国はなし』三弥井書店）
・『西鶴諸国はなし』（西鶴研究会編　二〇一四　『西鶴が語る江戸のミステリー』ぺりかん社）
・『男色大鑑』（麻生磯次／冨士昭雄　一九九二　『男色大鑑』決定版対訳西鶴全集六、明治書院）
・『男色大鑑』（宗政五十緒／松田修／暉峻康隆校注・訳　二〇〇〇　『井原西鶴集』②、新編日本古典文学全集67、小学館）
・『元禄太平記』（中嶋隆校訂　一九八九　『都の錦集』叢書江戸文庫6、国書刊行会）

・『風流源氏物語』（神戸龍治／田口重男／文傳正興校訂　一九七六　『近世文藝叢書』第五、国書刊行会）
・『続向燈吐話』（勝又基／森暁子校訂　『続向燈吐話』　校訂代表勝又基／木越俊介『諸国奇談集』木越治責任編集『江戸怪談文芸名作選』第五巻、国書刊行会）
・『新著聞集』（花田富二夫／入口敦志／大久保順子　二〇一〇　『仮名草子集成』46、東京堂出版）
・『諸州奇事談』（二〇〇九　『国会図書館所蔵　読本集』1〈DVD復刻版〉、フジミ書房）
・『注文の多い料理店』（宮沢賢治　二〇一〇『注文の多い料理店』新潮文庫）
・『天使にならなきゃ』（一九九五〈初版一九八八〉『天使にならなきゃ』PFコミックス、小学館〈電子書籍〉）
・『囀る鳥は羽ばたかない』（ヨネダコウ　二〇一六〜二〇二一〈第一巻の初版第一刷、二〇一三〉『囀る鳥は羽ばたかない』1〜7、HertZ&CRAFT、大洋図書〈電子書籍〉）
・『それでも、やさしい恋をする』（ヨネダコウ　二〇一四『それでも、やさしい恋をする』CRAFT SERIES 060、大洋図書）
・『阿蘭陀西鶴』（浅井まかて　二〇一四『阿蘭陀西鶴』講談社）
・『庫内灯』（庫内灯編集部　二〇一六『庫内灯2』〈BL俳句誌〉）

Ⅱ　辞典・県史・出版書目等（執筆者名順）

・朝倉治彦／大和博幸　一九九三　『享保以降　江戸出版書目　新訂版』臨川書店
・江本裕／谷脇理史編　一九九六　『西鶴事典』おうふう
・岐阜県　一九六八　『岐阜県史』通史編近世上　巌南堂書店
・近藤春雄　一九七八　『中国学芸大事典』大修館書店
・日本史広辞典編集委員会　二〇〇五　『山川　日本史小辞典（新版）』山川出版社
・長谷川強監修／『浮世草子大事典』編集委員会編　二〇一七　『江戸時代の社会・風俗がわかる　浮世草子大事典』笠間書院
・松前町史編集室編　一九七四　『松前町史』通説編第一巻上
・諸橋轍次　一九八四〜八六　『大漢和辞典』大修館書店
・吉原栄徳　二〇〇八　『和歌の歌枕・地名大辞典』おうふう

Ⅲ　研究書等（執筆者名順）

・秋山正幸／榎本義子　二〇〇五　『比較文学の世界』南雲堂
・浅野晃　一九七一　「『男色大鑑』の主題」『文芸研究』第六七集、日本文芸研究会
・東浩紀　二〇〇一　『動物化するポストモダン』講談社現代新書
・飯倉洋一　二〇〇七　「浮世草子と読本のあいだ」『「奇談」書を手がかりとする近世中期上方読物史の構築（課題番号16520103）』大阪大学
・飯塚恵理人　二〇〇四　「和漢朗詠集から謡曲へ」『国文学　解釈と教材の研究』四九巻一〇号、學燈社
・井上和人　二〇〇六　「『風流御前義経記』の「風流」―その出自―」『京都語文』第一三号、佛教大学

・氏家幹人　一九九五『武士道とエロス』講談社現代新書
・愛媛近世文学研究会　一九六六『評釈　難波の良は伊勢の白粉』
・大橋洋一　二〇一七「未来への帰還　アダプテーションをめぐる覚書」岩田和男／武田美保子／武田悠一編『アダプテーションとは何か—文学／映画批評の理論と実践』世織書房
・河合隼雄　一九八七『子どもの宇宙』岩波新書
・クリステヴァ、ジュリア　一九八四『記号の解体学—セメイオチケ』1、原田邦夫訳、せりか書房
・クリステワ、ツベタナ編　二〇一四『パロディと日本文化』笠間書院
・クレメンツ、レベッカ　二〇一一「もう一つの「注釈書」—江戸時代における『源氏物語』の初期俗語訳の意義—」『平安文学の古注釈と受容』第三集、武蔵野書院
・同　二〇一八「江戸及び明治初期の訳者たちにおける翻訳概念—その翻訳用語についての考察—」寺田澄江／加藤昌嘉／畑中千晶／緑川眞知子編『源氏物語を書きかえる　翻訳・注釈・翻案』青簡舎
・郡司正勝　一九七七『地芝居と民俗』民俗民芸双書（岩崎美術社編）ほるぷ版
・近藤瑞木　一九九七「玉華子と静観房—談義本作者たちの交流—」『近世文芸』65、日本近世文学会
・西條勉　二〇〇九『千と千尋の神話学』新典社新書
・篠原進　一九七四「「やつし」攷—都の錦の蹉跌—」『緑岡詞林』第一号、青山学院大学
・同　一九八九「『西鶴諸国はなし』の〈ぬけ〉」『日本文学』一月号、日本文学協会
・同　一九九七「『男色大鑑』の〈我〉と方法」『青山語文』27、青山学院大学
・同　二〇〇四「浮世草子の汽水域」『浮世草子研究』創刊準備号、浮世草子研究会
・島津忠夫　一九九〇『能と連歌』和泉選書49、和泉書院
・白倉一由　一九九四『西鶴文芸の研究』明治書院
・染谷智幸　一九八五「西鶴の浮世草子と祝言（その一）—序章末尾の祝言をめぐって—」『日本文学論叢』一〇号、茨城キリスト教短期大学
・同　二〇〇五『西鶴小説論　対照的構造と〈東アジア〉への視界』翰林書房
・同　二〇一四「若衆のエロスとタナトス—念者を持てかはゆがりて見たし」『書物学』第三巻、勉誠出版
・同／畑中千晶　二〇一七『男色を描く　西鶴のBLコミカライズとアジアの〈性〉』勉誠出版
・同　二〇一九「現代日本のBL文化と古典の再評価—西鶴『男色大鑑』研究におけるエンターテインメントとアカデミズムの協働」『タイ国日本研究国際シンポジウム2018　論文集』チュラーロンコーン大学文学部東洋言語学科日本語講座
・高橋俊夫　一九八八『西鶴雑筆』笠間書院
・谷脇理史　一九九二（初版一九八一）『西鶴研究序説』新典社
・土田衞　一九六五「『難波の良は伊勢の白粉』の刊年」『ビブリア』三一（後に『考証元禄歌舞伎—様式と展開—』八木書店、所収）
・暉峻康隆　一九五六『西鶴評論と研究　上』（改訂三）中央公論社

・錦仁　一九九三「本歌取」『古典文学のレトリック事典』、學燈社
・野口武彦　一九九五「古典文学の通俗化―都の錦『風流源氏物語』をめぐって」『『源氏物語』を江戸から読む』講談社学術文庫
・野田壽雄　一九九〇『日本近世小説史　井原西鶴編』勉誠社
・長谷川強　一九八四『浮世草子考証年表―宝永以降―』青裳堂書店
・畑中千晶　二〇〇四「『男色大鑑』の隠者」『日本文学』一二月号、日本文学協会
・同　二〇〇五「西鶴この一行　此道すきものゝ我なれば『男色大鑑』巻六の五「京に見せいで残りおほいもの」」木越治編『西鶴　挑発するテキスト』国文学解釈と鑑賞別冊　至文堂
・同　二〇〇九『鏡にうつった西鶴　翻訳から新たな読みへ』おうふう
・同　二〇一六「コミカライズ版『男色大鑑』の解説を書いて」『リポート笠間』№61、笠間書院
・ハッチオン、リンダ　二〇一六『アダプテーションの理論』(*A Theory of adaptation*) 片渕悦久／鴨川啓信／武田雅史訳、晃洋書房
・深沢秋男　二〇〇八「近世初期における　書名「可笑記」の流行」『近世初期文芸』25、近世初期文芸研究会
・プロップ、ウラジーミル　一九八七『昔話の形態学』叢書記号学的実践10、北岡誠司／福田 美智代訳、白馬書房
・堀あきこ／守如子　二〇二〇『BLの教科書』有斐閣
・正木ゆみ　二〇一〇「「一閑坊の案内」考―『男色大鑑』巻七の五における工夫」『上方文藝研究』第七号、上方文藝研究の会
・松田修　一九六七「西鶴の創り出した男色」『国文学　解釈と鑑賞』七月号、至文堂
・溝口彰子　二〇一五『BL進化論　ボーイズラブが社会を動かす』太田出版
・同　二〇一七『BL進化論［対話篇］　ボーイズラブが生まれる場所』宙出版
・由井長太郎　一九九四『西鶴文芸詞章の出典集成』角川書店

Ⅳ　データベース・CD-ROM 等

・国文学研究資料館「日本古典籍総合目録データベース」(http://base1.nijl.ac.jp/~tkoten/)
・国際日本文化研究センター「連歌連想語彙データベース」(https://ys.nichibun.ac.jp/cgi-bin/rensougoi/wiki.cgi)
・古典ライブラリー「和歌&俳諧ライブラリー」(日本文学Ｗｅｂ図書館、http://www.kotenlibrary.com/)
・染谷智幸／加藤裕一編　二〇〇六『西鶴浮世草子全挿絵画像』CD-ROM版『西鶴と浮世草子研究』1付録、笠間書院

Ⅴ　インタビュー記事等

・ヨネダコウ　インタビュー　二〇一四（聞き手・文　川原和子）「10人のマンガ家が語るインタビュー」『美術手帖　特集＝ボーイズラブ』二〇一四年一二月号、美術出版社
・同　二〇一九（構成：的場容子）、ネクストF編集部『このBLがやばい！　2020年度版』JIVE
・同　二〇二〇（取材・文　波多野公美）、「映像化作品めじろおし！　原作者インタビュー」「特集1　ボーイズラブが動き出す」『ダ・ヴィンチ』二〇二〇年七月号、KADOKAWA

著者

畑中千晶（はたなか・ちあき）

敬愛大学教授。『鏡にうつった西鶴　翻訳から新たな読みへ』（おうふう、2009年）、KADOKAWA『男色大鑑』（B's-LOVEY COMICS）の解説（2016年）、染谷智幸／畑中千晶編『男色を描く　西鶴のＢＬコミカライズとアジアの〈性〉』（勉誠出版、2017年）、寺田澄江／加藤昌嘉／畑中千晶／緑川眞知子編『源氏物語を書きかえる　翻訳・注釈・翻案』（青簡舎、2018年）、染谷智幸／畑中千晶編『全訳　男色大鑑〈武士編〉』『全訳　男色大鑑〈歌舞伎若衆編〉』（文学通信、2018・2019年）など。

これからの古典の伝え方

西鶴（さいかく）『男色大鑑（なんしょくおおかがみ）』から考える

2021（令和3）年3月25日　第1版第1刷発行

ISBN978-4-909658-53-1　C0095　

発行所　株式会社 **文学通信**

〒170-0002　東京都豊島区巣鴨1-35-6-201

電話 03-5939-9027　Fax 03-5939-9094

メール info@bungaku-report.com ウェブ https://bungaku-report.com

発行人　岡田圭介

印刷・製本　モリモト印刷

校正　坂東実子

カバーイラスト　紗久楽さわ

ご意見・ご感想はこちらからも送れます。上記のQRコードを読み取ってください。